Georges Duhamel

de l'Académie française

CHRONIQUE DES PASQUIER

VI

Les maîtres

Mercure de France

Georges Duhamel (1884-1966) est né à Paris. Docteur en médecine, il a toujours poursuivi parallèlement son œuvre littéraire et ses travaux scientifiques. Il fut l'un des membres les plus actifs du groupe de l'Abbaye.

Médecin militaire pendant la Première Guerre mondiale, il en rapporte deux livres émouvants, Vie des Martyrs et Civilisation auquel le prix Goncourt est attribué en 1918. Georges Duhamel se consacre bientôt à l'une de ses œuvres les plus importantes, Vie et aventures de Salavin (1920-1932). Tout en composant les volumes de ce cycle hanté par un personnage inoubliable, Duhamel écrit d'autres romans, et aussi des essais où il fait part de ses réactions devant la Russie : Le Voyage de Moscou, ou l'Amérique : Scènes de la Vie future, virulente satire du monde voué au machinisme.

Après le cycle de Salavin, Georges Duhamel écrit un second ensemble romanesque, la Chronique des Pasquier (1933-1945). Il y retrace l'histoire de toute une famille française.

Georges Duhamel, soucieux de maintenir la culture française à travers le monde, a été président de l'Alliance française. Il a été élu à l'Académie française en 1935. Il en a été le Secrétaire perpétuel de 1942 à 1946. Il était également membre de l'Académie de médecine, de l'Académie de chirurgie, et de l'Académie des sciences morales.

CHAPITRE PREMIER

RETRAITE STUDIEUSE. UN PORTRAIT DE JOSEPH
PASQUIER EN SEPTEMBRE 1908. MŒURS DES LAPINS.
OÙ L'ON ENTEND PARLER DE JEAN-PAUL SÉNAC.
RÉFLEXIONS DU DOCTEUR PASQUIER SUR LES RUES
DE PARIS. RÉUNION DE FAMILLE. ORGUEIL D'UN
HOMME RUINÉ. UNE OPÉRATION DE CRÉDIT. « JO-
SEPH, SI NOTRE PÈRE NOUS VOYAIT. » ÉLEVONS-NOUS
DANS L'ESSENTIEL.

Quand je songe au vacarme dans lequel tu vis,
dans lequel, pour mieux dire, cher Justin, tu as
librement et courageusement choisi de vivre, je me
sens un peu honteux de ma retraite et de ma paix.

Je peux t'avouer pourtant que ce grand calme
où je me réfugie à certaines heures sert à merveille
les pensées qui me hantent depuis l'hiver dernier.
Je voudrais t'envoyer par poste un peu de mon
silence. Mais quoi! peut-être refuserais-tu ce message, homme extravagant!

Pendant des heures et des heures, je reste immobile, assis devant ma table. J'apprends à me recueillir, à faire le moins possible de gestes inutiles,
comme nous l'enseigne le patron. L'œil au microscope, le crayon en main, je dessine ou prends des
notes. J'entends, toutes les cinq secondes, une
goutte d'eau qui tombe du robinet dans le cristal-

9

lisoir en imitant le cri musical du crapaud, ce cri que nous écoutions, le soir, à Bièvres, pendant la belle saison. Rappelle-toi comme c'était beau, cette goutte d'ocarina, d'une pureté d'autant plus touchante qu'elle était, qu'elle est, veux-je dire, exhalée par un animal humble et repoussant. Voilà peut-être une confidence un peu romantique, mais je ne songe guère à Bièvres qu'avec une émotion extrême. Comment avons-nous pu nous tourmenter les uns les autres et nous rendre si malheureux? Tout était si beau, si pur, en dépit de la misère et des querelles. Il n'y a pas encore un an que ce rêve a pris fin et il me semble que j'ai déjà tout oublié de nos détresses. Je ne pense qu'à nos élévations, à nos enchantements, à notre joie.

N'en parlons plus, puisque tu le désires et puisque tu me le demandes avec tant d'insistance dans toutes tes lettres. Oublions les crapauds et leur flûte nocturne. Je te disais donc, cher Justin, que le silence est fort grand autour de moi, et mieux encore, en moi. J'entends soupirer doucement la fine flamme de gaz qui veille sous l'étuve à thermostat. J'entends aussi les lapins sautiller autour de moi. De temps à autre, une femelle, irritée par l'assiduité d'un mâle, frappe bizarrement les carreaux du sol avec ses pattes de derrière. Je les laisse errer autour de moi pour mieux les observer, pendant certaines recherches. Le laboratoire est désert — je ne voulais pas écrire ce mot légendaire, pardonne-moi, Justin, s'il revient involontairement sous ma plume. — Fauvet ne rentrera qu'après le 1er octobre. M. Chalgrin travaille chez lui, tantôt dans son laboratoire, tantôt dans ce petit bureau solennel et inconfortable où il m'a reçu quand je me suis présenté, le premier jour. Il vient me voir de temps en temps, et surtout à la chute du soir. Il me pose deux ou trois questions touchant nos recherches et, tout de suite, il se met à rêver tout haut et à dire des choses admirables. Je retiens mon haleine. Il parle longtemps, parfois. Je l'écouterais plus longtemps encore.

Pendant la matinée, je suis seul et serai seul ainsi jusqu'au retour de Fauvet et de Sternovitch. Dès novembre, nous aurons sans doute d'autres collaborateurs et c'en sera fini de mon beau silence.

Il était peut-être dix heures, ce matin, quand Joseph est entré. Je ne l'attendais pas. Il ne s'annonce point, en général. Si quelque chose le pique, il arrive, il se manifeste. Tu connais mon frère Joseph. Eh bien, tu ne l'aurais pas reconnu, ce matin, en le voyant pousser la porte du labo. Tu n'as pas vu Joseph depuis sept ou huit mois. Il a sans doute un peu grossi. Il n'a pas plus de trente-quatre ans et déjà ses cheveux grisonnent, ce qui lui vaut les brocards de papa chaque fois qu'ils se rencontrent. A part cela, le gaillard est robuste et même massif. Une belle mâchoire, la plus robuste mâchoire de toute la famille. Une vague de graisse monte du col et commence à dissimuler l'ossature. Mais c'est une graisse ferme, une graisse de bonne qualité. Le nez est gros sans être long. Un peu le nez de maman. A part cela, presque rien de Pasquier dans ce visage. L'œil est plus sombre que le nôtre. De temps en temps, phénomène inexplicable, la prunelle pâlit et Joseph nous regarde pendant une minute avec le regard pervenche de mon illustre père. La moustache est rognée court. La bouche est saine, bien dessinée. Elle n'est pas encore avilie... Pardonne-moi ce langage. Il est impossible que le visage de Joseph ne finisse pas, un jour, par trahir l'âme. Pour l'instant, c'est encore une belle bête, une forte bête.

Comment te dire l'impression que m'a donnée Joseph en entrant ce matin dans mon laboratoire? Il est entré sans frapper. — Il entre partout sans frapper. — Imagine donc un Joseph qui voudrait bien avoir l'air accablé, mais qui n'y parvient guère, parce que sa constitution ne s'y prête pas. Imagine un Joseph qui voudrait avoir les épaules basses et qui, pour résister à un tel phénomène, commencerait par remonter les omoplates et contracter tous ses muscles. C'est cela : quand Joseph relève les épaules, c'est qu'il devrait les baisser. Imagine un Joseph qui a probablement des raisons secrètes d'être triste et qui n'arrive à obtenir de son visage qu'une de ces tristesses conventionnelles que l'on devrait appeler : tristesses pour enterrements. Imagine encore un Joseph qui voudrait parler bas, avec des trémolos dans le grave, et qui ne peut s'empêcher de placer la voix, de donner tout le souffle et de faire, comme à l'ordinaire, frémir la verrerie sur les étagères.

Il s'est assis. Il a pris des dispositions pour laisser tomber sa tête sur sa poitrine, effort qui s'est traduit, je ne sais comment, par un mouvement du col plein d'insolence et de fanfaronnade, et il m'a dit d'un air en même temps sépulcral, goguenard et furieux :

— Tu sais que ça ne va pas du tout ?

— Qu'est-ce qui ne va pas ? La santé ?

Joseph a fait un geste vague et légèrement dramatique :

— Oh! si ce n'était que la santé!

— Je ne vois vraiment pas ce qu'il pourrait y avoir de plus grave.

Joseph m'a considéré pendant une seconde avec un mélange de commisération et de curiosité, puis il a poursuivi :

— Je passe en courant et je ne peux pas rester. Viens déjeuner chez les parents, à midi et demi, et nous causerons, tous ensemble. Tout le monde sera là.

— Même Cécile? Même Ferdinand?

— Mais oui. Tout le monde. C'est très sérieux.

A tout à l'heure, Laurent. Je remonte dans ma voiture.

Au moment de refermer la porte, il s'est retourné soudain pour dire, d'une voix mystérieuse et dramatique, cette phrase qui demandait un commentaire :

— Car j'ai encore ma voiture.

Et, tout de suite, il est parti. J'entendais résonner sous ses talons le vieil escalier du Collège.

Le silence est retombé. Il m'a quand même fallu bien des minutes pour entendre, de nouveau, chanter la goutte d'eau dans le fond du cristallisoir et soupirer l'étroite langue de feu sous l'étuve de cuivre irisé. Depuis longtemps, Joseph ne me trouble plus, tu le sais. Il m'étonne encore. Il dévie encore mes pensées ordinaires. Il ne les oriente pas : il ne fait que les dévier.

Enfin le silence est revenu et mes pensées ordinaires ont repris leur course. Les lapins ont recommencé de se poursuivre, sur le carrelage, et ils ont recommencé, sournoisement, de se battre. Hélas! les lapins ne sont pas, comme on le croit souvent, de doux et timides rongeurs ; ce sont des bêtes féroces, comme tous les êtres vivants. Le mâle suit la femelle et l'importune. Si la femelle n'est pas bien disposée, elle manifeste son impatience en frappant le sol avec ses pattes de derrière — comme nous, mon vieux, comme nous —, si le mâle insiste, la femelle le mord, et sois bien sûr qu'elle ne le mord pas n'importe où : elle tâche d'atteindre le malheureux dans le siège même du désir. Il arrive qu'elle l'émascule, d'un seul coup. Alors la bête blessée pousse des cris terribles et le silence du laboratoire en est transpercé. En vérité, mon cher ami, si je débine les lapins, si je les juge sévèrement, c'est peut-être parce que je suis obligé de les tourmenter un peu, de leur faire des piqûres. Plus tard, j'élèverai un lapin expiatoire que je laisserai vivre tranquille et mourir de sa belle mort. Quand Sénac vient ici, pour travailler avec M. Chalgrin, et qu'il assiste aux combats de mes animaux, il grogne : « Rien qu'à voir vivre tes lapins, je suis sûr que nous aurons la guerre. » Je peux d'ailleurs te dire que Joseph, qui me semble mieux placé que Sénac pour juger les événements — la Bourse est un excellent observatoire —, Joseph ne croit pas à la guerre. L'empereur d'Allemagne a fait, ces jours derniers, comme tu l'as vu sans doute, une petite démonstration publicitaire à la frontière d'Alsace. Joseph dit que c'est de la frime. Sénac est moins optimiste. Il soupire, il gémit : « Nous finirons par avoir la guerre. On finit toujours par avoir la guerre. Il n'y a pas d'exemple qu'une période de paix ne se soit pas terminée par la guerre. » Sénac me fait rire. Il te ferait rire aussi, cher Justin, si tu le voyais. Et tu le reverras. Et tu finiras par oublier toutes les chamailles et par regarder Sénac sans humeur et sans rancune.

Je suis bien content d'avoir pu caser Sénac au secrétariat de M. Chalgrin. Sénac m'en a d'ailleurs témoigné une réelle gratitude. Il n'a pas eu de vacances, tu le penses bien, puisqu'il a pris son service en mai dernier. Il dit, quand je le vois, il dit d'un air pénétré : « L'année dernière, à pareille époque, j'étais un homme libre et je regardais fleurir les haricots... » A part cela, je crois qu'il travaille et se tient tranquille. Je ne le vois pas tous les jours. Il a son petit bureau chez le patron, rue d'Assas.

A midi, j'ai fait enfermer les bestioles dans les clapiers et je suis allé boulevard Pasteur. Tu sais que, depuis trois mois, mon père a quitté le quai d'Austerlitz et qu'il est venu s'installer boulevard Pasteur. Il est ravi : « Nous en avons fini avec les marécages, dit-il en gonflant sa poitrine. Nous en avons fini avec l'insalubre climat des vallées. Ici, c'est presque la montagne. En outre, le nom me plaît. Pasteur a toujours été mon modèle et mon type. Boulevard Pasteur, cela sonne clair. Quand je pense qu'il y a des malheureux pour aller se loger rue Pirouette ou cité Vacheron. C'est à pleurer. Rue Fessart, au moins, c'est drôle, ça sonne bien, ça ne manque pas de bouquet ; mais passage Gâtbois! Qu'est-ce que c'est que ce Gâtbois? Qu'est-ce qu'il a fait, ce Gâtbois? Un palais, tu entends? Un palais! On me donnerait en toute propriété un palais rue de la Cossonnerie ou rue Biscornet que je n'en voudrais pas. Il faut avoir le courage de ses impulsions et de ses répulsions. »

Je ne t'en dis pas davantage : tu connais papa. De nous tous, il est le seul qui ne change pas, le seul qui ne puisse pas changer. Le seul qui soit réduit, somme toute, à ne pas changer.

L'appartement des parents est assez agréable. Il donne d'un côté sur le boulevard, de l'autre sur une cour sonore qui reçoit, amplifie et propage tous les secrets des locataires.

Joseph ne m'avait point trompé : la famille était au complet quand je suis arrivé. Nos parents nous réunissent quatre fois par an de cette manière. Mais il s'agissait d'une réunion exceptionnelle et maman nous a prévenus tout de suite que le déjeuner ne serait qu'une improvisation. Elle avait l'air inquiet. Elle regardait Joseph avec une attention silencieuse, comme elle nous regardait, jadis, quand nous avions la fièvre. Et elle soupirait, de temps en temps, à mi-voix : « Que vas-tu nous dire? Je voudrais quand même bien comprendre... »

Nous avons fini par nous rassembler dans le salon où mon père fait patienter ses pratiques. Nous étions tous assis en rond, comme chez le notaire. Tu n'as peut-être pas vu Ferdinand depuis la fête du printemps, à Bièvres. Il a grossi d'une manière presque inquiétante. Claire, sa femme, ne demeure pas en reste. Elle était vraiment menue, jadis, avec de petits os, des charnières fragiles. Le bonheur l'a, si j'ose dire, soufflée. La pointe du menton et l'os du nez soulèvent et tendent la peau en émergeant des chairs. Ce sont les seuls linéaments sensibles dans ce visage. Par malheur, cet épanouissement n'est point allégresse. Les deux époux sont torturés par la crainte des maladies. Papa les soigne, sans défaillance. Il leur administre une foule de remèdes fantaisistes qui finiront bien par faire effet, c'est-à-dire par déterminer quelque maladie véritable. J'ai longtemps espéré que Claire aurait un enfant, ce qui les détournerait d'eux-mêmes et pourrait, dans une certaine mesure, les sauver, les guérir de leurs imaginations. Je n'y compte plus guère. Ferdinand est follement jaloux. Il serait peut-être jaloux de son enfant, oui, de ce que, du moins, l'enfant lui prendrait de la femme. En sorte que ces deux êtres sont condamnés à vivre et à vieillir dans l'horreur d'une intimité si close et si farouche qu'elle ne laisse à peu près rien transpirer d'elle-même au-dehors.

Suzanne était présente au concile. Elle n'avait guère plus de deux ans quand tu es venu pour la première fois chez nous, rue Guy-de-la-Brosse. Est-ce possible! Suzanne a dix-sept ans aujourd'hui et c'est une femme accomplie. Sa beauté m'inquiète. Je te raconterai, quand je serai moins pressé par les faits, je te raconterai les démêlés de Suzanne et du triste Testevel. Oh! ce n'est pas fini! Testevel n'est pas au bout de ses peines. Laissons-le, pour l'instant.

Cécile était là, je pense l'avoir dit, et je me suis assis près d'elle, sur le canapé Louis-Philippe. Nous étions tous réunis. Nous attendions tous la fameuse communication de Joseph. Alors Joseph a décroisé les jambes, il a fait plusieurs fois « hum!

hum! » et il a dit, d'une voix solennelle, presque caverneuse :

— Je suis ruiné.

Cette singulière communication a été suivie d'une demi-minute de silence, ce qui n'est pas mal pour la famille Pasquier. Enfin, père a murmuré :

— Je ne comprends pas très bien ce que tu veux dire.

Joseph a haussé les épaules et il a répété, séparant les syllabes :

— Je suis rui-né. Vous saisissez : rui-né. Tout simplement.

Maman s'est mis une main sur la bouche et tout de suite elle a eu les yeux rouges. Elle soupirait : « Pauvre petit! » Papa s'est ressaisi très vite. Il tirait sur ses moustaches cuivrées et il a repris avec beaucoup de calme :

— Tu dis : ruiné? Voyons, cela signifie peut-être qu'il ne te reste rien du tout.

Joseph secouait la tête :

— Fort probablement, rien du tout.

— Eh bien, mon cher, a dit papa d'une voix suave, ce n'est pas si terrible que tu as l'air de le croire. Moi, je ne possède rien du tout, je n'ai jamais rien possédé. Et je t'affirme que l'on vit très bien.

— Attention! Attention! — Et Joseph enflait le souffle. — Il y a une différence énorme entre n'avoir rien du tout et n'avoir plus rien du tout.

— Je peux t'avouer, a dit encore papa, que ce me serait très agréable d'être ruiné, ça prouverait du moins que j'aurais eu quelque chose à perdre. Tout le monde n'a pas la chance de pouvoir être ruiné.

— Je ne dis pas le contraire, a répliqué posément Joseph.

Alors, maman :

— Ram, sois sérieux. Il faut que Joseph nous explique tout cela en détail.

— C'est presque impossible. En tout cas, c'est fort compliqué. Vous n'avez jamais rien compris aux affaires.

— Mais enfin, ta maison de Paris... Et le château, *La Pâquellerie*, comme tu dis, et le reste, car il me semble que ce n'est pas tout.

Joseph a fait un effort sincère et infructueux pour baisser la tête et il a dit :

— On essaiera de sauver *La Pâquellerie* du naufrage. C'est surtout pour cela que je tenais à vous voir tous. *La Pâquellerie*, c'est notre maison de famille.

Je dois te faire observer, cher Justin, que l'entretien, jusqu'à cet instant, restait clair, intelligible et mesuré. Soudain, comme il est de règle chez nous, tout le monde s'est mis à parler en même temps, et j'ai eu l'impression que Joseph espérait, escomptait ce tumulte-Pasquier. Il s'est pris à donner des explications techniques, des explications si claires que l'obscurité, tout aussitôt, s'est répandue sur les faits et les êtres. Père partait à divaguer pour son compte. Il parlait très fort et disait : « As-tu seulement joui de ton argent pendant que tu le possédais ? Moi, si j'avais eu de l'argent, j'aurais vécu comme un prince ! » Ferdinand réclamait d'un air important des renseignements sur les convulsions de la Bourse. Nous étions tous debout, sauf Cécile. Joseph avait l'air non d'un monsieur qui vient de se ruiner, mais d'un financier qui a réussi un coup de maître. Il faut croire que ce genre d'audace est nécessaire dans un tel métier. Maman disait, avec obstination : « La maison que tu as dans le Midi, est-ce qu'elle est perdue aussi ?... » Et Joseph, avec beaucoup de force et de naturel : « Je ne peux rien dire encore. J'ai peut-être perdu plus que je ne possédais. Je suis peut-être couvert de dettes. C'est ce qu'on saura bientôt. » Chose étonnante, il avait l'air, ce disant, de nous distribuer de bonnes et heureuses nouvelles. Et, tout à coup, maman a murmuré : « Il faut quand même aller manger. Nous continuerons à table. Tu vas nous expliquer tout. » Pendant que nous passions, à la file, dans le couloir, père a lancé d'une voix flûtée : « Eh bien, mon cher, tu me disais autrefois des masses de sottises quand je perdais mille ou deux mille francs. Qu'est-ce que nous pourrions bien te dire aujourd'hui ? — Aucune comparaison, grondait Joseph d'une voix paisible et ferme, l'argent que je perds, il est à moi tout seul. — Et le mien, il n'était pas à moi, peut-être ? — Non, il était à nous tous. Et puis, perdre deux mille francs, c'est à peu près sans intérêt. »

Nous avons déplié les serviettes sur cette sentence lapidaire et le repas a commencé, non pas dans la gêne, mais dans un grand tapage, car le clan était en éruption. Tu sais que, dans ces cas-là, je ne dis pas grand-chose. J'étais assis à la gauche de Cécile. J'avais, à ma gauche, Suzanne qui se contemplait dans le fond de sa cuiller, poussait de petits cris d'horreur en s'y trouvant déformée et disait, d'une voix bien posée, bien placée, trop basse à mon avis pour son physique gracieux : « Ce doit être épatant d'être ruiné. Il a toutes les veines, ce Joseph ! » Et elle répétait en se mettant une main sur la poitrine : « Monsieur, vous êtes ruiné... Ruiné ? Qui ? Moi ? Non ! » Je ne sais si Suzanne deviendra jamais une grande comédienne, mais elle aime follement cet étonnant métier, et elle n'est pas sans dons. Je devisais à voix basse avec Cécile. Elle ne pouvait s'empêcher de prêter l'oreille à la conversation. Tu la connais : elle a du génie, elle vit dans le ciel, et pourtant elle s'intéresse toujours aux misérables affaires et aux querelles de la famille. Joseph avait entrepris une véritable conférence de spécialiste sur les aciéries du Centre et le barrage de la Roumagne. Il expliquait comment il faut s'y

prendre pour se ruiner richement. Ferdinand
pérorait, posait toutes sortes de questions auxquelles Joseph répondait parfois avec le plus cordial
mépris. Père monologuait à peu près seul, de son
côté. Maman tâchait, comme toujours, à mettre
un peu d'ordre dans ce pandémonium. Et, malgré
tout, on entendait de temps en temps fuser une de
ces réflexions de toujours, une de ces réflexions
que nous ferons encore dans dix mille ans, quand
nous nous retrouverons parmi les ombres : « Non,
je ne peux pas tolérer le maquereau froid, c'est un
poisson gras. » Ou bien : « Moi, c'est le merlan. Je ne
comprends pas que l'on puisse aimer le merlan. »
Ou encore : « Comment, papa, tu coupes le pain
avec ton couteau! — Qu'est-ce que ça peut bien te
faire? — Oh! ça m'est égal, mais ce n'est pas distingué. » Et puis, tout de suite, Joseph repartait
à discourir. Il a dit, d'un air à moitié tragique :

— C'est triste, car la famille commençait à
s'élever.

— Peuh! a murmuré papa, soufflant dans sa
moustache vaporeuse. Une fortune, cela se refait.

— Tu en parles à ton aise.

Cécile souriait, soudain détachée du clan, elle
souriait de son sourire d'archange et je comprenais
son sourire. Je songeais à la rue Vandamme, à
nos commencements. Suzanne alors n'était pas
même née. Cécile, que le monde entier admire,
posait pour la première fois ses mains sur le piano,
comme un dompteur de vocation qui caresse un
tigre à la première rencontre et le fait s'agenouiller.
Joseph tournait chaque jour autour d'un pâté
de maisons, entre midi et une heure, au pas accéléré,
pour faire l'économie d'un repas. Et papa, qu'il
ne faut quand même pas oublier, préparait des
examens, la nuit, et se piquait le dos des mains
avec son canif pour s'empêcher de dormir. Oui,
la famille s'est élevée, mais nous ne sommes pas

encore sur les cimes et Joseph parle trop fort. Joseph a trop de penchant à croire que la famille s'élève grâce à lui.

Cécile a compris mes pensées : elle a posé sa main sur mon poignet avec une légèreté presque immatérielle et elle a souri. Je crois que je n'ai plus prêté le moindre intérêt au reste de la conversation.

T'ai-je dit qu'Hélène était absente ? Elle n'aurait probablement pas changé la couleur, le ton de l'entretien. Elle commence à penser en tout comme son mari, comme Joseph. Elle lui prend ses formules et répète ses mots. C'est étrange! C'était une fille intelligente et vive. Elle n'a pas lutté longtemps. Elle a été josephifiée en deux saisons. Tu sais qu'ils n'élèvent pas leurs enfants eux-mêmes, ce qu'elle souhaitait tant. Joseph avait une nurse ; il va sans doute remettre sa progéniture aux soins de la vieille maman Pasquier, maintenant qu'il est « ruiné ». Enfin, laissons cela.

Je commençais d'oublier tout à fait la ruine de Joseph et les propos sur les valeurs industrielles et les valeurs immobilières, quand j'ai entendu Ferdinand, qui venait de palabrer longuement à voix basse avec Claire, déclarer soudain, pendant un semblant de silence :

— Nous, en rassemblant tout, nous pourrons te faire cinq mille francs.

Il a soufflé très fort et regardé la tablée d'un air considérable. J'ai compris tout de suite ce que signifiait cette réunion de famille et l'insistance de Joseph. J'ai dit à Cécile :

— Je crois que l'on va te frapper d'une forte amende, chère Cécile.

Elle a levé les épaules et souri.

Après le déjeuner, comme nous étions retournés dans le salon jaune, Ferdinand m'a pris à part. Oh! n'essaie pas d'évoquer le mince et long jeune homme aux cheveux indociles et au lourd regard tâtonnant des années Guy-de-la-Brosse. Vois plutôt un monsieur jeune encore, mais riche d'un embonpoint sérieux, avec deux petites flammes de carmin aux lobules des oreilles. Il m'a donc tiré dans un coin. Lui qui, pendant des années, a parlé de Joseph avec une sourde et rancuneuse amertume, il débordait soudain de sympathie, de compassion, de tendresse. Il avait des larmes dans la voix. Il nasonnait : « On ne peut quand même pas l'abandonner dans cette situation tragique. C'est notre frère. Moi, je fais mon devoir, tout mon devoir. Je me saigne aux quatre veines. Toi, Laurent, tu n'es pas homme à te dérober devant le devoir... Papa, qui avait trois mille francs en réserve, vient de les donner. Cécile ira jusqu'à dix mille ; Cécile est une véritable capitaliste. Suzanne, elle, n'a que son titre en nue propriété. Joseph parle de trouver une combinaison pour faire un emprunt avant la majorité. Suzanne, d'ailleurs, ne dit pas non. C'est terrible, ces métiers d'argent. »

Ferdinand reniflait et me regardait de façon pressante.

Nous sommes partis ensemble, Joseph et moi, car il allait dans le quartier des écoles. Il avait l'air un peu las, tout à coup. Il m'a dit :

— La voiture m'attend. Nous pouvons nous en servir encore.

Et il a, tout de suite, ajouté, comme le cardinal Mazarin :

— Il va falloir quitter tout cela.

Je ne sais pourquoi, sur ces mots, il s'est mis à sourire. J'ai eu le sentiment qu'il secouait la fatigue, bandait les muscles et reprenait flamme.

— Tu sais, a-t-il encore soupiré en montant dans la voiture, il paraît que Napoléon, le jour de son couronnement, a dit à son frère, celui qui s'appelait comme moi : « Joseph! Si notre père nous voyait! » Quelle naïveté! S'il avait pu les voir, le vieux Bonaparte, il n'aurait pas été du tout ébloui. Il aurait dit : « Allons, dépêchons-nous, vous allez encore nous faire déjeuner en retard. » Ça ou quelque chose d'analogue.

— Mais, ai-je murmuré, je ne sens pas le rapport. Voyons, Joseph : le couronnement de l'empereur, d'un côté et, de l'autre, un monsieur qui vient de se ruiner ; car, si j'ai bien compris, tu as perdu ta fortune.

Joseph ne m'écoutait qu'à demi.

— Je suis fixé, maintenant, a-t-il dit avec un gros soupir. Il est impossible d'épater sa famille. Moi, je n'épaterai jamais ma famille. Je ne vous arracherai jamais un soupir d'admiration, à vous tous, les Pasquier.

— C'est trop fort, mon pauvre Joseph! Pourquoi tiens-tu donc à nous épater? Et pourquoi, surtout, espères-tu nous épater en te ruinant?

Joseph a haussé les épaules et il a regardé par la portière, comme s'il désespérait de me faire comprendre quoi que ce fût.

Il m'a posé devant le Collège de France et il est allé tout de suite à ses affaires. Moi, je me suis enfoncé dans le merveilleux silence du labo. Que l'on vende ou que l'on ne vende pas la villa de Nice, la maison de Paris et les Barrages de la Roumagne, et toutes ces choses auxquelles je ne comprends rien, au fond, cela m'est assez égal, et même *La Pâquellerie*, que Joseph dit être « une propriété de famille », mais où il se montre le maître absolu, tyrannique, et sur laquelle nous n'avons pas le moindre droit. Non, tout cela ne me touche pas. Ce qui me semble quand même triste, c'est l'échec de Joseph. Il ne croit qu'à une seule chose : l'argent. Si l'argent vient à défaillir, quel néant! Comme il doit être malheureux! Chose étrange, il a l'air plus surexcité que malheureux. Comprends pas.

Je peux quand même te dire que je me suis inscrit pour mille francs. Tout ce que je possède à l'heure actuelle. Joseph m'a remercié, sobrement, non sans une certaine chaleur. Il disait : « Ça se tassera, ne crains rien, ça se tassera. » Ces mille francs sur lesquels il ne comptait guère, ils avaient l'air de lui faire plus de plaisir que les dix mille francs de Cécile, qui lui donne toujours de l'argent, pour des placements, à ce qu'il dit... C'est quelque chose d'assez obscur, ces placements que fait Joseph au nom de Cécile, depuis dix ans.

J'étais parti pour te raconter ma vie au laboratoire avec M. Chalgrin. Une fois de plus, les Pasquier ont tout brouillé. Pardonne-moi, cher Justin. Je fais le serment de ne plus rien te dire de ma famille. Non, non, dégageons-nous, épurons-nous, élevons-nous dans l'essentiel. Ton fidèle.

21 septembre 1908.

CHAPITRE II

SOUVENIR DU DÉSERT DE BIÈVRES. LECTURE DE
PLUTARQUE. FAUT-IL RESPIRER LE SOUFFLE DES
HÉROS ? UNE CONCEPTION DU MESSIE. JUSTIN
ET LAURENT AU CARREFOUR DES ROUTES. LES
JEUNES HOMMES ET L'AMOUR DE LA VIE. ODÉIR
D'ABORD. LE CHEF ET LE MAITRE. SUR LE BESOIN
D'ADMIRER. LE « MONSIEUR » ET LE « PATRON ».
ÉPIDÉMIE DE CHOLÉRA. OPINIONS DIVERSES SUR
L'ALLIANCE FRANCO-RUSSE ET SUR LES DÉCOUVERTES
SCIENTIFIQUES.

Eh bien, non. Si Joseph s'imagine qu'il lui suffit
de se ruiner pour me distraire de ma route et de
mes soucis ordinaires, il se trompe et je ne te dirai
plus rien de lui. D'ailleurs, je ne sais rien de nouveau, sinon qu'il s'agite beaucoup. Une fois de
plus, il m'a contraint de m'intéresser à lui. J'en
éprouve un peu d'irritation, un peu de rancune.
Le mieux que je puisse faire pour Joseph est donc
de ne pas parler de lui, et rien ne m'est plus facile.

Je suis tout à fait de ton avis, cher Justin : au
sortir du Désert, il n'y avait pour nous qu'un petit
nombre de solutions au problème de vivre. Nous
avons fait une expérience malheureuse, mais
belle et respectable. Nous avons tenté, nous autres,
jeunes hommes consacrés aux besognes de l'intel-

ligence, de nous unir pour vivre ensemble et pour gagner notre vie en travaillant de nos mains. Nous avons échoué. Les raisons de cet échec demandaient un examen critique auquel nous nous sommes livrés l'un et l'autre avec beaucoup de rigueur. Tu as souffert, non pas plus que moi sans doute, mais de manière plus prompte et plus brutale. Et, très vite, plus vite que moi, tu as trouvé délivrance et consolation. J'admire d'autant plus ton nouveau dessein que tu détestes le bruit. Ne proteste pas : tu nous demandais toujours, au Désert, de bien fermer les portes, de ne pas laisser les persiennes battre dans le vent, de ne pas crier d'un étage à l'autre, requêtes raisonnables et que nos compagnons ne comprenaient pas toujours fort bien. J'ai quelque peine à t'imaginer dans le tumulte forcé de ta vie actuelle.

J'ai peut-être souffert moins que toi, sur l'instant, après la dislocation, après le démembrement de notre communauté. C'est plus tard que les regrets et l'inquiétude m'ont tourmenté. Je ne peux parler de désillusion : dans cette affaire, je me suis senti plus cruellement déçu de moi-même que des autres. Ce qui dominait, dans mon désarroi, c'était un véhément besoin de grandeur. Il me semblait que, pendant cette pathétique et misérable aventure, j'avais perdu l'exacte notion de l'homme, de ses mesures et de ses pouvoirs. Tu vas rire, Justin ; mais, après mon retour à Paris, j'ai cherché parmi mes lectures, en tâtonnant comme un aveugle, et, d'instinct, je me suis jeté sur Plutarque, j'ai relu, j'ai dévoré Plutarque. Ce n'est pas très équitable et je le comprends. Juger nos copains, Testevel, Sénac ou Jusserand, qui sont d'excellents garçons et qui seront peut-être plus tard des hommes remarquables, les juger en raison de Caïus Gracchus ou de Pélopidas, en raison de toute cette imagerie d'Épinal, je reconnais de bon cœur que c'est manquer de charité d'abord et surtout de bon sens.

Mais quoi! j'avais un grand appétit d'héroïsme, je voulais « respirer le souffle des héros », comme dit Romain Rolland. Bien que tu saches tout, il se peut que ce nom ne te dise rien. C'est celui d'un type qui faisait — il en fait peut-être encore, je ne sais — des cours d'histoire de l'art à l'École normale. Fauvet, qui a suivi ces cours, m'a donné à lire plusieurs bouquins de ce gars-là, dont une vie de Beethoven. Épatant! Sénac, contre son habitude, n'éreinte pas Romain Rolland, il en dit même du bien, mais il lui reproche d'avoir eu quelque chose comme un prix de l'Académie pour sa thèse. Qu'est-ce que ça peut bien foutre, si la thèse est bonne!

Cher Justin, alors que tu décidais, de ton côté, d'aller vivre parmi les humbles, je me suis promis de respirer le souffle des héros. Tu m'as souvent dit, pendant nos entretiens, au Désert, que le Messie, pour vous autres Juifs, ce n'était pas exactement un homme, mais la somme de tous les hommes qui ont porté en eux, à travers les siècles, une étincelle de la flamme sainte. C'est une idée admirable. Ce que je crois, c'est que, chez certains êtres disgraciés, l'étincelle est vraiment très faible, trop faible. Ceux qu'il faut rechercher et suivre, ce sont les grands, ce sont les hommes en qui l'étincelle est une vraie lumière, capable de dissiper, au moins un instant, nos ténèbres. De tels hommes existent. Reste à les reconnaître et à les approcher. Pasteur, dont mon père parle avec tant de lyrisme, est sans doute une figure pour les Plutarque de l'avenir. J'ai connu M. Dastre, j'ai connu Renaud Censier et M. Hermerel, qui est un bougre de premier ordre bien qu'un peu silencieux à mon goût. Je voudrais connaître des bonshommes comme Rodin ou comme Anatole

France. Malheureusement, ces gens-là sont isolés dans leur gloire et ma profession ne me donne aucune chance de toucher jamais le bord de leur redingote. Il en est d'autres. J'en veux nommer d'autres : Roux, Chalgrin, Richet, Rohner! Comment peut-on penser sans enthousiasme que ces gens-là respirent en même temps que nous sur la terre? Et c'est pourtant l'exaltante vérité. Justin, cher vieux frère, il n'y a que deux solutions, je te l'ai dit : ou vivre, comme tu le fais, au milieu des petits, ou vivre, comme je veux le faire, dans le rayonnement des grands. Tout le reste est de la faribole et du temps perdu.

Si tu étais là, devant moi, avec ton grand nez, tes cheveux indociles — que tu as peut-être fait couper, bien que tu ne m'en dises rien — et tes yeux qui regardent choses et gens avec une si pressante curiosité — reconnais que le croquis est un peu sommaire, mais amical — si tu étais là, près de moi, je n'oserais peut-être pas t'ouvrir mon cœur avec tant d'abandon. Mais tu es loin, tu ne peux me couper la parole, et s'il t'arrive d'être distrait en me lisant, je ne le vois pas, ce qui me laisse mon sang-froid. Tu as déjà compris que je suis en bonne santé morale. Quand j'ai fait sur moi l'essai du vaccin de M. Hermerel, dont il y avait bien des raisons de se défier, c'est peut-être que je ne voulais plus vivre. Tu l'as senti. J'étais jeune, cher vieux frère, j'étais horriblement jeune. Maintenant, je tiens à la vie. Je ne le dis pas sans honte, mais je dois le dire. Le temps de la langueur et du détachement est fini : je tiens à la vie. C'est que je deviens vraiment un homme, c'est que je commence à prendre de la patine. Dans les guerres, on fait d'abord tuer les jeunes et l'on dit, naturellement, que les vieux ne peuvent plus faire campagne. C'est possible. Nous verrons peut-être cela plus tard. Ce dont je suis sûr, c'est qu'on fait tuer les jeunes d'abord parce que les hommes très jeunes ont, plus que les autres, le hautain mépris de la vie. Les jeunes hommes consentent plus volontiers que les vieux à mourir. Les jeunes hommes n'aiment pas encore la vie. Ils vieilliront, ils connaîtront toutes les douleurs, toutes les hontes, toutes les détresses ; chose terrible à dire, ils se prendront à aimer cette vie misérable et ils n'auront plus la moindre envie de mourir.

Je trouverais tout cela désespérant si j'étais encore un tout frais garçon ; mais comme je sens, ici et là, certaines fibres qui se durcissent, je commence à délaisser le point de vue sentimental pour le point de vue scientifique, et c'est un grand allégement.

A propos, parle-moi donc moins brièvement de cette demoiselle bobineuse — c'est bien ce que tu m'as dit — qui me semble tenir dans tes pensées une place non petite. En revanche, mon ami, et confidence pour confidence, je te ferai les plus belles déclarations sur le rôle du foie dans la production des agglutinines.

Cette idée de rechercher les agglutinines — cela ne te dit rien, mais fais comme si tu comprenais — cette idée m'est personnelle. En ce moment, presque toutes les idées qui fermentent dans mon esprit viennent du patron. Je l'avoue sans vergogne, je l'avoue même avec fierté. Nous avons, surtout au Désert, où nous étions entre mauvaises têtes, entre anarchistes pour mieux dire, nous avons cultivé des idées absurdes sur l'originalité. Nous avons aussi perdu le sentiment de l'obéissance et ce serait un grand malheur si cette perte était irréparable et définitive. Sois rassuré quant à moi. Je fais des progrès dans l'individualisme — je t'expliquerai comment et pourquoi ; je plaiderai ma cause à ton regard — je fais donc des progrès dans l'individualisme sauveur ; mais, sur la première page de tous mes cahiers, j'ai écrit, pour moi seul, et au moyen de signes secrets, cette maxime laconique : « Obéir d'abord. » Ne t'imagine pas qu'en acceptant cette sentence j'abandonne provisoirement mon libre arbitre. Cela signifie, dans mon esprit : « Choisir ses maîtres, après mûre réflexion, et leur obéir. » Tu voudras bien noter que j'ai dit « ses maîtres » et non « ses chefs ». L'idée du chef ne m'est pas absolument étrangère, pourtant elle m'est moins sensible que celle du maître. Je veux apprendre — c'est-à-dire prendre, saisir — je veux m'accroître, peut-être parce que j'appartiens à une famille en pleine poussée de sève, en pleine ascension, comme dit Joseph qui, lui, confond l'ascension et la richesse. Ce que je demande, ce n'est pas de me délivrer de toute responsabilité, ce n'est pas de marcher les yeux clos, ce que je demande, c'est de la nourriture, de la substance. Je veux un enseignement.

Je sais très bien qu'un vrai chef est aussi un maître puisqu'il enseigne, par exemple, le courage, l'esprit de décision. — Toi, Justin, qui viens de te mettre volontairement à l'école de la discipline ; toi, Justin, tu as sans doute les qualités d'un tel chef ; n'en doute pas, malgré les déceptions du Désert. — Mais que ferais-je d'un chef, moi qui ne suis pas homme d'action ? Non, non, ce que je demande, ce sont des maîtres.

Tu vas sûrement penser : pourquoi « des » maîtres ? Un seul maître, si c'est un vrai maître, ne suffit-il pas ? Sois bien sûr que j'ai délibéré sur ce point. On peut se tromper dans la recherche des maîtres. Je crois prudent d'avoir des éléments de comparaison, d'abord. C'est la méthode romaine transposée dans l'ordre non plus du gouvernement, mais de la connaissance : *consules ambo*. Tu le comprends, je te dévoile, et sous condition d'un secret absolu, mon plan, ou, mieux encore, ma méthode.

Des éléments de comparaison et, par conséquent, des éléments de contrôle. Je dis contrôle et non critique. Je ne vais pas jusqu'au mot « critique ». Justin, j'ai besoin d'admirer, voilà, voilà, voilà! Et quand bien même je devrais me tromper, c'est l'admiration qui m'importe, et l'admiration que j'éprouve, encore plus que son objet.

Si Jean-Paul Sénac lisait cette lettre, je pense qu'il aurait une crise de nerfs. Il est dépourvu de la faculté d'admiration d'une manière presque tragique pour un poète. Il m'a fait, hier, une de ces confidences qui montrent le fond de l'abîme : « Tout le monde, m'a-t-il dit, me trouve un sale caractère, mais on me juge intelligent. Ce n'est pas vrai, je suis bête. Je ne le dis à personne. Moi, seul, je suis assez intelligent pour comprendre combien je suis bête. »

C'est une chose étrange de voir cet esprit sec et torride en présence d'un homme comme le patron. Tu sais que je parle de M. Chalgrin. Oh! je regrette que ce beau mot de patron soit compromis dans la phraséologie des querelles sociales. Quand Schleiter parle des patrons et du patronat, il prend un air dogmatique et fanatique, tout comme s'il allait prononcer l'excommunication majeure. Je te reparlerai de Schleiter, qui tourne tout à fait au politicien depuis qu'il vit dans l'ombre de Viviani. Pour moi, le mot patron veut toujours dire modèle et surtout père, c'est-à-dire celui qui protège et même celui qui engendre. Dans la société médicale, que j'aime vraiment de tout cœur, l'élève appelle son maître « monsieur ». Tu ne peux imaginer comme ce simple mot est beau, comme il est noble et respectueux quand il est adressé par un jeune homme à celui qui l'instruit et le guide. Si les rapports deviennent plus cordiaux entre le maître et le disciple, celui-ci, dans les instants d'intimité, ne dit plus « monsieur » et se permet de dire « patron ». C'est ainsi que je parle à M. Chalgrin et, bien que ce ne soit pas l'habitude au Collège, il souffre cette appellation en souvenir de sa vie dans les hôpitaux. Je crois même qu'elle le touche et qu'il y voit un signe de vénération filiale.

Je vais préparer ici ma thèse de doctorat ès sciences. Pour ma thèse de médecine, que je passerai presque en même temps, je souhaite de travailler chez Nicolas Rohner, sans quitter d'ailleurs ma place au Collège. Je t'ai parlé de deux maîtres, et tu vois où je te conduis.

J'ai sollicité la place de préparateur actuellement vacante dans le laboratoire du professeur Rohner. J'attends la décision. C'est une fonction très mal payée, mais qui me permettra d'approcher un des hommes les plus intelligents de ce temps et de travailler dans son atmosphère. A certains indices, je pense que le patron met très haut M. Rohner. Il l'a souvent cité dans ses ouvrages, et toujours avec éloge. Il parle des travaux de Rohner avec la plus grande considération. Je ne lui ai pas dit que j'espérais être nommé chez Rohner, non que j'aie le désir de lui cacher quoi que ce soit, mais par timidité.

D'ailleurs, rien ne presse. M. Rohner est en Russie. Il est allé là-bas pour étudier le choléra. Tu ne sais peut-être pas que le choléra fait actuellement de grands ravages en Russie. Il s'est d'abord propagé le long de la Volga. Maintenant, il désole Saint-Pétersbourg. On a nommé une commission de savants pour aller observer l'épidémie. Rohner s'est proposé tout de suite. Tous ceux qui le connaissent le dépeignent comme un homme du plus froid courage. Quelle belle chose que cette fraternité des peuples par la science! — Voilà que je me mets à parler comme le docteur Pasquier, mon père. — Le choléra dévaste la Russie ; aussitôt un grand savant français se présente et dit : « Me voici! »

J'ai peut-être tort de te raconter cette histoire. Tu es encore bien capable de prendre le train et de te précipiter en Russie, homme enthousiaste. Heureusement pour ceux qui t'aiment, je crois que tu n'as pas le sou.

Quand Joseph a entendu parler de cette épidémie, l'autre jour, il a haussé les épaules et il a dit sur l'alliance franco-russe quelques mots d'une terrible brutalité. Quelque chose comme : « Très bien, donnez-nous vos millions et nous vous donnerons notre choléra. »

Sur ces questions franco-russes, Joseph et Sénac s'entendent assez bien et c'est extraordinaire. Sénac ne peut souffrir ni Sternovitch, ni les autres Russes qui viennent travailler chez M. Chalgrin. Il dit, dans sa moustache : « Ces gars-là veulent racheter le monde, construire une société nouvelle, et ils ne sont pas foutus de coudre un bouton à leur habit... » Chose étonnante, Sénac porte un habit auquel il manque plusieurs boutons. Sénac est terrible, et surtout pour ceux qui lui ressemblent.

Sénac s'assied parfois sur un tabouret, en face de moi, en attendant M. Chalgrin, et il dit : « En somme, qu'est-ce que vous cherchez, vous autres ? Vous cherchez à empêcher les hommes de mourir. Quelle sale blague! Si la science empêche les hommes de mourir, on ne saura plus que leur donner à manger. Ils seront obligés de se faire la guerre et de s'entre-tuer. Ce sera du propre. »

Quand nous parlons des prouesses de Wilbur Wright, Sénac hausse les épaules et se met à gronder : « Toutes ces belles découvertes seront exploitées par des ambitieux et des détraqués. En somme, vous, les savants, vous êtes les principaux instruments du désordre universel. »

33

Comme c'est triste! Sénac me ferait horreur, si je ne le connaissais pas. Mais je le connais! Tu m'as plusieurs fois prié de ne pas te parler de Sénac. Pourquoi? C'est une figure étrange. C'est un être qu'on ne peut abandonner à son destin sans compassion. Et puis, j'ai plusieurs fois déjà fait le serment de ne plus te parler de ma famille. Si je ne te parle plus de mes compagnons, je n'aurai plus grand-chose à t'écrire. Et je peux bien t'avouer que cette correspondance m'est douce et profitable, parce qu'elle me permet non seulement de m'épancher, mais encore et surtout de mettre mes idées en ordre. Apprends à connaître mon égoïsme.

Parle-moi un peu moins des doctrines et un peu plus des personnes, dans ta prochaine lettre. Kropotkine me plaît, c'est entendu ; mais j'aimerais savoir quelque chose de tes compagnons d'atelier et, surtout, que tu fusses moins secret avec ton vieil ami au sujet de cette jeune fille... A bientôt. Je t'embrasse. *Vale.*

29 septembre 1908.

CHAPITRE III

M. OLIVIER CHALGRIN, PROFESSEUR AU COLLÈGE
DE FRANCE. LES SAVANTS SONT DISTRAITS. MONO-
LOGUE FAMILIER SUR LE RATIONALISME AU XIXᵉ SIÈ-
CLE. INTERMÈDE SUR LES VIBRATIONS MUSICALES.
PROJETS POUR LE RATIONALISME DU XXᵉ SIÈCLE.
UNE PARTICULARITÉ DU LANGAGE BENGALI.

A trois ou quatre reprises, pendant le printemps
dernier, avant ton départ, je t'ai dit : « Viens au
Collège, à la fin de la matinée ou de l'après-midi,
et tu verras peut-être M. Chalgrin. » Tu n'as pu
venir, tu n'es pas venu. Je le regrette. Me voici dans
l'obligation d'essayer de te montrer, avec beaucoup
de mots, bien des aspects que tu aurais embrassés
d'un coup d'œil, le temps d'un éclair.

Les portraits que tu as vus, dans les journaux,
donnent de M. Chalgrin, une idée très imparfaite.
D'ailleurs, le patron répugne à se laisser photogra-
phier. Sur toutes ces images, il a l'air sévère et
presque dur. Rien de moins juste. Et ne va pas non
plus t'imaginer de la roideur et de la timidité, non,
mais une réserve exquise et que je souhaiterais
d'observer moi-même en toute circonstance. Sur
les photographies — et je ne sais pourquoi — il
semble grand. Il n'est pas fort grand, il est mince ;
et note bien que mince ne signifie pas fluet. Si

le mot d'aristocrate pouvait reconquérir son beau
sens étymologique, je dirais de M. Olivier Chalgrin
que c'est un aristocrate. Je me suis demandé parfois
s'il descendait de l'architecte Chalgrin qui a justement construit le Collège de France où nous travaillons aujourd'hui. Je n'ose poser une question
à ce sujet. Et c'est d'ailleurs sans importance.

Le visage est rasé, très pâle, creusé de nobles
rides. Il ne porte des lunettes que de manière exceptionnelle. Je crois qu'il y répugne, et non pour
soigner son personnage temporel — il ne s'en soucie
guère — mais pour justifier, en dépit des années,
son idéologie du savant. Il dit volontiers : « Un
homme de laboratoire, un chercheur, est d'abord
un animal bien doué qui doit tout voir, tout entendre, tout sentir. » En vérité, le patron a des sens
prodigieusement déliés. Il ne dédaigne pas de les
manifester parfois, pour la confusion de ses élèves :
il ne laisse rien échapper. Un grain de poussière
qui tombe, il l'entend ; l'ombre d'un cheveu sur
la muraille, il la voit. Il devine le passage des gens,
à la trace. Il dit parfois : « M. Sénac est venu ce
matin vous rendre visite. » J'avoue que, pour Sénac,
le mélange alcool-tabac est timbré de manière si
personnelle qu'un odorat commun suffirait à dépis-
ter la bête.

M. Chalgrin porte assez long des cheveux bouclés,
soyeux, d'un gris presque blanc. Ils viennent effleu-
rer le col de la blouse, et sois bien sûr qu'ils n'y
laissent pas pleuvoir des pellicules : tout cela est
parfaitement net et savonné, sans vaine élégance.
Je voulais aussi te parler des mains que je trouve
d'une grande beauté. La peau commence à briller
un peu, aux jointures, car le patron doit avoir
cinquante-six ou sept ans, si j'en crois le diction-
naire encyclopédique ; mais la vivacité de ces mains
et leur finesse m'enchantent. Jamais de geste inutile
ou démesuré : une harmonie qui suffirait à justi-

fier l'empire des magiciens et des magnétiseurs.

Je pense que si le patron lisait, par hasard, cette lettre, il n'en serait pas trop content. Il se fait une idée très claire et très nécessaire de ce que j'appelais tout à l'heure son personnage ; mais il ne caresse point cette idée avec amour, il ne lui marque pas la moindre complaisance. Il dit parfois qu'il faut se bien connaître pour se mieux oublier.

Tous ses travaux attestent un surprenant esprit de suite, et pourtant il est distrait. Pour mieux dire, il se laisse apparemment distraire, il s'abandonne volontiers à la distraction. Parle-t-il, et, à chaque instant, il découvre des échappées, des bifurcations, des voies latérales. Il s'arrête, revient sur ses pas, repart, s'évade, s'envole, s'arrête encore, s'agenouille, moralement, si j'ose dire, regarde une chose invisible pour nous et la regarde si bien qu'il a l'air de s'endormir, à cela près que le regard veille, un regard velouté, brun-gris, tantôt insistant et tantôt mobile, un regard d'une douceur parfaite et pourtant difficile à supporter quand il se fixe et se concentre.

Il est venu me voir, hier matin. J'examinais au microscope des coupes du foie dans lesquelles j'ai mis en évidence les cellules de Kupffer par une technique nouvelle. Le patron m'a regardé travailler pendant quelques minutes et il a dit soudain :

« Voulez-vous me permettre, Pasquier, de jeter un coup d'œil à vos préparations ? »

Il s'est assis à ma place, sur le haut tabouret, dans le plein jour de la fenêtre. Il est vraiment d'une pâleur presque surnaturelle et qui m'inquiète beaucoup : certes, ce n'est pas le jaune éburnéen du cancer ; c'est bien plutôt la pâleur parcheminée de certains cardiaques. Et, de temps en temps, ce visage parfaitement blanc pâlit encore, comme s'il n'y avait point de limite dans la décoloration.

Il a déplacé la platine du microscope, imperceptiblement, pour parcourir de l'œil la préparation. Il disait : « Que c'est étonnant! » Puis il s'est mis à sourire et il m'a regardé : « Je ne suis pas de ceux qui trouvent tout logique, tout naturel et tout explicable. Non, certes, non. »

Il a fait un demi-tour sur le tabouret et il a poursuivi, en souriant toujours, comme s'il y avait un rapport évident entre les parties de cette méditation brisée :

« Vous savez, mon ami, que je viens d'être élu président de la Société des Études rationalistes. J'appartenais depuis longtemps à cette vieille société. Comment ne serait-on pas rationaliste, Pasquier? Les gens de mon âge ont été nourris de ce lait amer et substantiel. Comment ne serait-on pas rationaliste, mon ami? Si nous sommes enfin délivrés de toutes les superstitions misérables et de tous les fanatismes répugnants, c'est quand même à la fermeté d'un sage rationalisme que nous le devons. Je suis beaucoup plus vieux que vous, Pasquier. J'ai vraiment assisté aux convulsions suprêmes des chimères. Oh! je dis : convulsions suprêmes... Elles renaîtront, elles renaissent tous les jours. Elles renaissent parfois dans des cervelles admirables. Voyez Claude Bernard, qui toute sa vie avait combattu victorieusement le vitalisme, l'animisme et toutes les doctrines d'erreur, eh bien! Claude Bernard s'est mis, sur la fin de sa vie, à rêver, et, malheureusement, à rêver au hasard. Il a préparé secrètement un travail contre les idées de Pasteur, un travail qu'on ne peut d'ailleurs pas dire achevé, un travail qu'il n'a pas fait imprimer avant de mourir, mais que Berthelot a déniché ou fait dénicher dans la table de nuit du défunt et qu'il a publié, froidement. C'était en 78, au milieu de l'été, j'avais vingt-sept ans. Vous ne pouvez imaginer la colère de Pasteur qui, douze ans auparavant, avait écrit sur Bernard une étude pleine d'éloges éblouissants. Pasteur a vidé la querelle, ainsi qu'il faisait toujours. Oh! il l'a non seulement vidée, mais récurée comme un pot. Nous suivions en haletant tous les actes de ce drame, car, pour nous, c'était un drame... Faites attention, Pasquier, vous piquez vos lapins dans la veine marginale, et c'est bien : mais il y en a un, là-bas, dont je vois l'oreille par transparence ; il a fait un hématome qui est en train de s'infecter... Pasteur a triomphé, comme toujours, et les rêveurs ont renoncé pendant quelque temps à rêver. Avez-vous jamais réfléchi, mon ami, à ceci que Pasteur, ce vrai croyant, cette âme religieuse, a été l'un des plus puissants agents du rationalisme ? Pasteur est la logique rationaliste en personne, dans le moindre de ses ouvrages. Et il y a des gens pour penser qu'en somme le monde est simple... Je vous disais que l'on m'a nommé président de la Société des Études rationalistes. J'ai longtemps hésité, mon ami, avant d'accepter cet honneur assez accablant, et si j'ai fini par dire oui, c'est avec une arrière-pensée. »

Le patron a commencé de faire un certain mouvement de la mâchoire, un mouvement de rumination. En général, chez lui, c'est ainsi que se manifeste l'inquiétude. Puis il a sifflé doucement quelques mesures de *Parsifal*, exactement le thème de la Cène. Pourquoi ? Pourquoi ? Je ne saurais le dire. Enfin, il a repris son monologue d'une voix plus basse.

« Avez-vous remarqué, mon ami, que vos animaux sont sensibles à la musique ? Tous les animaux sont sensibles à la musique. Les poissons eux-mêmes et c'est légendaire. Vous savez que le poisson-chat perçoit très bien le sifflet. Je ne parle pas des serpents, que la musique fait osciller. Mais l'homme, Pasquier, l'homme! Voyez les choses froidement : le son est une vibration, et même une vibration fort grossière. J'admets que la rencontre et la perfection des ondes sonores puissent exercer une influence plus ou moins favorable sur la cellule vivante, sur cette substance prodigieuse dont nous ne savons presque rien ; mais a-t-on tout dit quand on a parlé d'une impression favorable ou défavorable ? Est-ce que de tels mots correspondent de manière quelconque à ce monde infini de joies et de douleurs qui s'éveillent en nous simplement parce que les ondes sonores ont fait vibrer notre tympan ? Et qu'on ne parle pas d'associations d'idées et de souvenirs ; ce n'est pas résoudre le problème. Vous produisez, avec un tube ou une corde, quatre ou cinq sons consécutifs et me voilà tantôt en extase et tantôt au plus sombre du désespoir. Des gens comme Vaxelaire s'obstinent à ramener tout cela, vous le savez, à des questions de chimie biologique, à des équations, à des courbes. C'est enfantin. »

Nouvel arrêt. Le patron secouait doucement la tête et moi j'attendais, je le laissais chercher, à tâtons, dans cette riche pénombre. Il a dit encore :

« Je suis un homme du XIXᵉ siècle et le XIXᵉ siècle restera le siècle du rationalisme triomphant. Je m'en réjouis. On n'est jamais tout à fait raisonnable dans le triomphe et la raison elle-même n'a pas triomphé de façon modeste et mesurée. Cela se comprend assez : tant de siècles d'oppression et de tyrannie barbare ! Tant de prisons, tant de bûchers ! Mais quoi ! On peut venger Isidore ou Sosthène, on ne venge pas Galilée : on l'honore et on le continue. Le rationalisme a fini par l'emporter. Le malheur est qu'un certain nombre de bons esprits, enivrés par le succès, ont pensé que la raison pouvait expliquer tout, devait expliquer tout. Mon ami, voyez comme la conjoncture est délicate. Admettre dès le principe que la raison n'expliquera pas tout, c'est renoncer d'avance et c'est donner prise à la chimère, je le sais bien. Mais déclarer que la raison permet de tout expliquer, c'est créer une superstition nouvelle, c'est instaurer, par excès de présomption, une nouvelle forme d'ignorance et de barbarie. Pasquier, je parle comme si j'étais seul, comme s'il m'arrivait de parler quand je suis seul. »

J'ai dû sourire, car le visage du patron s'est éclairé d'une lumière affectueuse.

« Vous, Pasquier, vous êtes un homme du XXe siècle. Je ne dis pas que le rationalisme ne connaîtra pas de nouveaux combats et même de nouvelles angoisses. Il faut recommencer toujours : il n'y a pas de triomphe définitif. Pourtant je crois que l'humanité va transporter son besoin de conflit, de choc et d'éclat sur d'autres terrains. Les différends sociaux deviennent chaque jour plus graves. Ils vont prendre le caractère qu'ont eu jadis les luttes religieuses. Le rationalisme est assez sûr de ses positions actuelles pour se montrer non pas tolérant, mais tout simplement sage. La connaissance rationnelle peut reconnaître sans honte qu'elle n'est pas la seule possible et qu'il y a d'autres voies, qui sont peut-être dangereuses mais qui conduisent quand même quelque part. Le rationalisme est assez fort aujourd'hui pour faire la paix. Vous m'entendez ? Je souhaite, si vous voulez toute ma pensée, que le rationalisme ne se considère plus comme l'adversaire-né de la connaissance intuitive ou religieuse ou même mystique ou poétique. Ce serait une grande œuvre pour le XXe siècle. Ce pourrait être l'œuvre des hommes de votre âge. Moi, moi, j'annonce une œuvre telle. Et c'est pour l'annoncer avec plus d'autorité que j'ai fini par accepter de présider cette vieille Société où il y a beaucoup de gens de grand mérite qui s'en tiennent à leur caté-chisme rationaliste, qui sont inflexibles et aveugles, comme leurs ennemis, et qui sont même fanatiques à leur façon, sans le savoir. »

Le patron s'est retourné vers le microscope et il a recommencé d'examiner mes préparations. Il disait, en tournant les vis d'un doigt léger :

« Berthelot est mort, l'an passé... Comment ne sentons-nous pas que le moment est venu de mourir ? Pourquoi ne sommes-nous pas avertis par la nature qui fait bien d'autres choses mystérieuses ? Pourquoi ne sentons-nous pas que la minute suprême est venue et que nous allons commencer de nous survivre et même d'entraver le cheminement de notre propre pensée ? »

J'écoutais. J'attendais je ne sais quel beau surcroît de confidences. Et voilà que Sénac est entré, portant une serviette pleine de paperasses. Le patron s'est levé tout de suite. Il était déjà libre, vacant, prêt à de nouveaux labeurs. Il souriait, il allait rire. Il disait :

« Vous m'appellerez demain pour me montrer vos nouvelles coupes. Demain, demain... Vous savez, peut-être, Pasquier, qu'en langage bengali, demain et hier sont exprimés par un seul mot. Ces gens sont bien enviables. A part cela, un petit trait de cette sorte suffit à expliquer la conquête anglaise et bien d'autres choses encore. Le rationalisme est un corset très dur et très lourd, mais qu'il ne faut pas rejeter. Je suis toujours rationaliste... Allons, monsieur Sénac, venez dans la bibliothèque. »

Ils sont partis. Te l'avouerai-je, vieux frère, je maudissais Jean-Paul Sénac. Il avait bien besoin de tomber là, entre nous deux! J'étais si content!

Je te raconte cette scène pendant qu'elle est encore chaude au plus secret de mon cœur. Je te la raconte mal. Tu ne peux imaginer comme c'était épatant. Beaucoup plus libre et plus simple que tout ce que je pourrais te dire. Je signe tout net :

L. P., rationaliste du siècle nouveau.
Ou mieux : L. P., néorationaliste.

2 octobre 1908.

CHAPITRE IV

UN BEAU SUJET DE THÈSE. GRANDEUR ET DÉCA-
DENCE D'UN ÉCONOMISTE. LES CHOSES UTILES ET
LES CHOSES INUTILES. HÉLÈNE OU LA DOCILITÉ
CONJUGALE. HOMMES D'AFFAIRES ET SAVANTS. LE
CHIEN DU FINANCIER. DE LA POSSESSION DES
DETTES. UN PÈLERINAGE DE PURIFICATION. VOIX
DANS LE PARC ABANDONNÉ. LAURENT EST NOMMÉ
PRÉPARATEUR DE M. NICOLAS ROHNER.

Fauvet est revenu de voyage. Nous sommes
encore loin du cours ; mais nous avons tous du
travail et nous savons que le patron est toujours
à l'œuvre : quinze jours de vacances, quinze jours
loin de son laboratoire et il doit commencer de
souffrir. Fauvet prépare sa thèse. Un beau sujet :
l'influence des vibrations musicales sur les micro-
organismes. C'est sûrement une idée de M. Chalgrin
qui, l'autre jour, il me semble te l'avoir écrit, m'a
parlé de l'influence de la musique sur les êtres
vivants. Je n'attendais pas Fauvet avant la fin
d'octobre. Et voilà mon précieux silence gâté.
Ce n'est pas que Fauvet soit fort bruyant : c'est
un monsieur trop délicat! Il se montre même,
en ce moment, moins hautain que naguère et
presque empressé.

J'ai porté, hier, à Joseph, les mille francs qui

représentent à l'heure actuelle la totalité de mon capital. J'y allais de bon cœur, crois-le bien. Malheureusement, Joseph a été intolérable, ou, pour mieux dire, joséphissime. Il y a des jours tels, où il semble être la proie du démon joséphique. Il m'avait invité à déjeuner, non sans observations désobligeantes : « Nous mangerons nos derniers sous... Il faut finir en beauté... Si, si, viens... Une folie de plus ou de moins... »

C'était un déjeuner très simple et confortable. Il m'a semblé qu'il y avait un peu moins de domestiques dans la maison. Joseph m'a dit : « Je les congédie par fractions, pour ne pas donner l'éveil. Et, surtout, pas un mot de toutes ces histoires à Hélène. Elle ne sait rien, ou presque. Merci pour les mille francs. C'est toujours quelque chose dans la situation presque tragique où je me trouve. Le principal est que ça se passe bien et que l'on ne m'enlève pas ça! »

Du doigt, ce disant, il montrait sa boutonnière. Tu sais — qui ne le sait pas ? — qu'il a été décoré de la Légion d'honneur, en janvier. Chose étrange, lui qui me conseillait si vivement de ne porter aucune décoration, il fait le plus grand cas de la sienne et l'exhibe de manière fort ostensible. Il dit, de temps en temps : « Maintenant, c'est au tour de papa. Je m'en occuperai, ne crains rien. J'en fais mon affaire... » Il parle ainsi, mais il n'est pas du tout pressé de réussir et de perdre l'avantage qu'il croit avoir acquis grâce à cet ornement.

Tu le vois, je ne suis jamais dupe de Joseph. Je ne veux d'ailleurs lui procurer aucune raison de se moquer de moi. Je lui ai donné les mille francs, mais je ne lui ai pas dit que j'avais renoncé, nécessairement, à m'acheter un pardessus d'hiver neuf et un poêle à gaz. J'ai pris, au contraire, l'air lointain de quelqu'un qui n'attache pas une grande importance à une somme aussi modeste.

45

La conversation, pendant le déjeuner, a roulé sur les choses utiles et les choses inutiles. Belle occasion, pour Joseph, de dire des énormités. Il regarde sa femme et vocifère d'une voix comique :

— Toi, ma chère, qui es ce qu'on appelle une femme instruite, en somme, tu ne sais presque rien d'utilisable. Tu as une licence de chimie, de physiologie, je ne sais même plus, et tu serais embarrassée pour faire cuire un œuf sur le plat.

Et, tout à coup, d'une voix caverneuse :

— Il y a pourtant des circonstances affligeantes où une femme du meilleur monde peut être obligée de faire cuire elle-même ses œufs sur le plat...

Il soupire. Hélène est merveilleusement calme. Elle sourit et il se creuse dans sa joue droite une très belle petite fossette que j'avais remarquée jadis. Elle a sensiblement engraissé. Son teint de blonde se colore beaucoup, surtout après le repas. J'ai demandé pourquoi les enfants n'étaient pas là. Joseph a dit, avec un geste théâtral :

— Chez maman! Ils y sont à merveille. Cette nurse représentait de grands frais.

Nouveau soupir, clignement de l'œil gauche à mon adresse. Et, tout de suite, Joseph a repris :

— Tout cet enseignement de la Sorbonne, c'est pure vanité. Les licenciés connaissent des formules et des chiffres. Mais quand il s'agit de préparer par exemple l'aspirine ou le sulfate de soude pour la consommation véritable, on s'adresse à de braves bougres de manœuvres que l'on instruit sagement dans des écoles spéciales, qui savent très bien, eux, comment se cuit la popote et qui mènent tout le travail. Vous autres, vous êtes des objets de luxe, des personnages représentatifs, des manieurs d'idées, des symboles de la science, rien d'autre.

Hélène a dit : « Oh! moi! » Et, de nouveau, sourire à fossette.

Après bien des années, je suis toujours confondu par ce mariage. Mon frère Joseph plaisante, non sans lourdeur ; il essaie de cacher son respect superstitieux des choses intellectuelles ; mais il est quand même très fier des connaissances et des diplômes de sa femme. Tout cela ne laisse pas de le tracasser. Il cherche toujours à reprendre l'avantage par quelque détour. Hier, il disait, pendant que nous achevions de manger :

— Moi, je ne suis pas comme toi, Laurent, un homme de science, un virtuose de l'esprit d'observation. Mais je crois au progrès, tout naïvement. D'ailleurs, vous, les savants, vous travaillez toujours pour nous autres, les hommes d'affaires. Oui, vous, tous autant que vous êtes, même les astronomes. Toi, tu coupes des pattes de mouche en rondelles microscopiques et tu dis : la science pure! Mais tout cela se terminera par un produit chimique, des usines et des actions que nous serons chargés, nous autres, d'acheter et de vendre et qui donneront une existence réelle à toutes vos bonnes blagues.

Il commençait de rougir et de s'enflammer. Il buvait et mangeait avec ardeur, non sans, de temps à autre, lâcher un soupir énorme et prendre pour une minute son visage d'enterrement. Il maniait sa fourchette avec une sorte de lyrisme. Il a recommencé de pérorer.

— C'est comme ton ami Sénac, avec ces choses qu'il écrit et qu'il publie dans les revues ou les journaux, je ne sais même plus... Faire des romans, faire des vers, faire des découvertes scientifiques! Peuh!... J'en ferais, si je voulais. Tu ris! Attends une seconde. Je vais, moi, t'imaginer un sujet de conte pour les journaux. Je vais te faire une découverte scientifique, là, tout de suite, avec ma fourchette et la bouteille de vin. Attendez seulement une seconde. Et puis, non, zut, je m'en fous.

J'aime encore mieux faire de l'argent. C'est plus difficile et c'est quand même plus sérieux.

Dans le couloir, comme je m'en allais, vraiment excédé, il s'est calmé tout de suite et il s'est mis à rire. Il regardait le petit fox-terrier qui courait, car l'appartement de ce ruiné est magnifique et spacieux. Il disait :

— Vois mon chien. Il est sage : il trotte sur trois pattes. Il met une patte de côté pour ses vieux jours. C'est vraiment le chien d'un économiste.

Économiste! Il ne dit rien de moins, maintenant qu'il est ruiné.

Je regardais le vestibule, les tapis, les meubles — je sais que la maison entière lui appartient, ou du moins lui appartenait encore il y a quinze jours — et j'avais honte, un peu, de mes misérables mille francs, de cette goutte d'eau que je venais d'apporter dans ce Sahara. Il a dû comprendre mon regard. Il a dit, plissant le front :

— J'ai des soucis terribles, Laurent. Les gens qui ne possèdent rien du tout ne savent pas à quel point ils sont heureux! Mais tu sais, tes mille francs, ils sont en sûreté, ne crains rien. Je te les rendrai, tu peux y compter. Et je te servirai même un très bel intérêt. Attends seulement que j'aie payé mes dettes.

Sur ce mot, il s'est redressé. Il est redevenu rigide et sanguin. Il s'est trouvé, de nouveau, si j'ose dire, en érection. Il prononce : « mes dettes » avec l'accent même de la possession, comme d'autres diraient « mes biens ». Je connais mal les affaires de Joseph et je me demande ce que peuvent être ces fameuses dettes.

J'allais ouvrir la porte pour m'enfuir, il m'a rattrapé par le bras. Il parlait bas, comme pour s'excuser, et il souriait d'un sourire terrible : « Moi, a-t-il commencé de m'expliquer, moi, quand je bois, quand je mange, quand je fais l'amour, eh bien! le plaisir que je prends est mille fois plus fort que celui que ressentent les autres hommes. » Il serrait les dents. Il croyait ce qu'il disait.

Alors, sans transition :

— Je t'ai fait porter un panier de poires. Des poires de *La Pâquellerie*! Avoue qu'elles sont bonnes, les poires de *La Pâquellerie*.

Il m'a fait apporter des poires, c'est la vérité même, et il m'en a déjà parlé plus de dix fois. Et il veut que je lui en parle chaque fois que je le vois et que je donne des détails sur le goût, l'arôme, le moelleux, le juteux... Chaque fois qu'il fait un cadeau, c'est ainsi. Il ne fait pas de cadeaux souvent, grâce au Ciel!

Il ne m'a pas laissé partir tout de suite. Il bougonnait, dans l'entrebâillement de la porte : « Je veux sauver *La Pâquellerie*. C'est pour cela que j'ai battu le rappel de votre côté. Et pourtant, quand je suis à *La Pâquellerie*, je voudrais être à Beaulieu, et quand je suis à Beaulieu, j'ai envie d'être au Mesnil. C'est idiot. Les gens qui n'ont qu'un logis ne connaissent pas leur bonheur. Enfin, enfin, tout cela va finir. (Gros soupir.) Pourvu que l'on sauve *La Pâquellerie*. Pense donc! Le berceau de la famille, Laurent! »

J'ai fini par prendre la fuite. J'allais manquer de calme. Le berceau de famille! Ça, c'est une trouvaille, pour une propriété qu'il a depuis trois ans.

Je devais avoir le sang à la tête, comme toujours après un entretien avec Joseph. Comment t'expliquer mes sentiments? Je ne comprends rien à Joseph. Je dois même te le peindre très mal. Il m'est parfois odieux et je le plains. Et puis, je vais tâcher d'être tout à fait sincère et de vider le fond de mon cœur. Je croyais me trouver en état de pureté parfaite vis-à-vis de la fortune de Joseph.

49

Je ne l'enviais certes pas et j'y songeais parfois avec une raisonnable horreur, car enfin, cet argent des financiers, il est toujours gagné durement par le labeur des foules obscures qui souffrent dans l'ombre inférieure. Je faisais donc un léger effort pour ne point songer à cette fortune inquiétante, et j'y parvenais, ordinairement. Eh bien, depuis que je sais que Joseph est ruiné, j'éprouve un certain sentiment de regret. Oui, oui, cela m'ennuie qu'il ait perdu tout cet argent. Cela m'affecte d'avoir lieu de plaindre Joseph. Je pensais bien qu'il ne manquerait aucune occasion de me demander quelque chose : de l'argent, de l'attention, des livres, une recommandation. Voilà qu'il faut aussi lui donner de l'intérêt, presque de la pitié. Il est insatiable.

Pour me purger l'esprit, après ce déjeuner, comme rien ne m'appelait impérieusement au laboratoire, comme je souhaitais quelques heures de méditation paisible, j'ai fait une chose que je dois absolument t'avouer, d'abord parce que je me suis promis de ne plus rien te cacher jamais, ce qui pourrait être une façon de ne me plus rien cacher à moi-même, ensuite parce que tu comprendras, j'en suis sûr, le sentiment qui m'animait.

J'ai pris le train à la gare du Luxembourg et je suis allé à Bièvres, comme cela, tout seul, en pèlerinage.

J'ai d'abord eu du mal à détacher ma pensée de Joseph. Il me fait souffrir, il m'humilie. Quand je le vois, quand je le quitte, je me demande avec angoisse, avec obstination, si vraiment je ne lui ressemble pas un peu. Je finis par découvrir des éléments de ressemblance et c'est pénible.

Dans le train, j'étais donc loin de me sentir en état de grâce. Quand il m'arrive de souffrir, j'essaie toutes sortes de méthodes. Je me dis, par exemple : « Si ce n'était pas moi... Si cette souffrance était tombée sur un autre... Allons, faisons comme si ce n'était pas moi... » Malheureusement, cela ne réussit presque jamais et je dois me débattre avec mon tourment jusqu'à ce qu'il s'endorme.

Je suis arrivé quand même à Bièvres, et là, tout à coup, je me suis senti délivré, oui, délivré de Joseph, car d'autres ombres ont commencé de tournoyer autour de moi. Elles m'ont accompagné jusqu'au terme de mon voyage. Il faisait une belle journée d'automne, tendre et parée de brumes translucides. Toutes les odeurs semblaient à la minute exquise de l'accomplissement. Demain, sans doute, elles seront déjà gâtées par la pourriture et la mort. J'ai suivi le mur, notre mur, jusqu'à la grille. Il y a, comme autrefois, un écriteau. La maison est à louer. Les clefs sont déposées chez la mère Clovis, notre ancienne femme de ménage. C'était jouer de malchance. Impossible d'aller demander les clefs à cette vieille toupie : elle aurait, sur ma visite, sur ce retour, imaginé des fables effrayantes, de saugrenus romans policiers. J'ai fait le tour du domaine. Dans le fond, à l'endroit où la clôture est basse et ruineuse, j'ai pu sans difficulté monter sur le mur et m'asseoir au sommet. Quelle émotion! Je voyais tout : le potager, le parc, la maison, la masure du jardinier où Brénugat était venu s'installer à la fin de l'histoire, et le petit hangar sous lequel Jusserand, disciple de Tolstoï, sciait du bois le matin, et le château d'eau sur lequel nous avions dû grimper, pendant les gelées, et au sommet duquel Larseneur nous chantait son fameux opéra : *Makalas et Girlamiro*. J'entendais le battement du bélier qui marche toujours. Il me semblait que les fenêtres de l'atelier allaient s'ouvrir et que tu allais paraître en frappant dans tes mains pour nous appeler au travail. Alors j'ai fait une chose absurde et qui m'a paru toute naturelle. J'ai crié : « Justin! »

dans le silence de la soirée. Et il s'est produit un phénomène extraordinaire : tu m'as répondu. Oui, oui, je ne divague pas. Il doit y avoir à cet endroit un écho que nous n'avions jamais remarqué, me semble-t-il, et qui se forme sur la maison. Tu m'as répondu. Cela signifie, même pour un rationaliste, que, de la maison, m'est parvenu soudainement une sorte de cri. Et c'était ta voix.

J'ai sauté par terre et je suis parti. Je ne regrettais pas d'avoir fait mon pèlerinage. Mes idées commençaient de se décanter, de se clarifier. Nous avons tâché de vivre ensemble, entre amis, et nous y avons trouvé les plus grands déboires. Au fond, nous ne nous connaissions pas et nulle règle supérieure ne nous permettait de « nous voir en Dieu », comme dit un philosophe. Nous nous sommes vus tels que nous étions, avec amertume, et nous en avons souffert. On ne choisit pas sa famille — et c'est bien regrettable. — Je commence à comprendre qu'on ne choisit pas non plus ses amis. On les a reçus, on les garde, on les porte, on les subit, et c'est comme cela. Pour ma consolation, je crois que l'on choisit ses maîtres. Je suis sûr que l'on peut et que l'on doit choisir ses maîtres.

Je suis allé prendre le train à Massy. J'ai traversé la forêt de Verrières que l'automne commence à illuminer. Quel silence! Un oiseau chantait sous la voûte des arbres, un oiseau solitaire. Et on aurait dit la sonnette de l'élévation dans une église abandonnée.

En arrivant chez moi, j'ai trouvé une lettre m'annonçant que j'étais nommé préparateur de M. le professeur Rohner, qui dépend de la Sorbonne, mais dont les laboratoires sont à l'Institut Pasteur.

Quelle nouvelle! J'aurais dû te la dire tout de suite, mais je la gardais pour la bonne bouche. Elle m'a fait rêver toute la nuit. Comme j'ai bien fait d'aller à Bièvres pour célébrer mon dernier loisir! Je vais avoir maintenant, entre mes deux patrons, une vie chargée de soins.

J'ai annoncé la chose à M. Chalgrin ce matin. Il s'y attendait et savait que j'avais fait une demande. Il m'a dit simplement : « M. Nicolas Rohner est un savant du plus grand mérite. » Comme c'est beau, ce concert harmonieux des intelligences dans l'empyrée!

Je t'écris chez moi, dans ma chambre. Si je criais très fort ton nom, est-ce que tu me répondrais? Je ne le crois pas, tu me négliges et me fais attendre tes lettres.

Ton frère fidèle.

15 octobre 1908.

CHAPITRE V

SÉNAC VEUT FAIRE DES EXPÉRIENCES. MÉDITA-
TIONS SUR LE PARADIS PERDU. PREMIER ENTRETIEN
AVEC M. ROHNER. LAURENT S'EFFORCE D'ÊTRE
IMPARTIAL. AMOURS ET TRISTESSES DE TESTEVEL.
LÉGER HOMMAGE À LA SOLITUDE.

Mais non, cher Justin, je n'ai pas donné ton
adresse à Sénac. Et s'il sait que tu t'es fait embau-
cher comme simple ouvrier dans une filature de
Roubaix, ce n'est pas moi qui le lui ai dit. Non que
j'évite de prononcer ton nom et même de lui parler
de toi. Mais en général je le laisse venir. Pour
être franc, je me défie, je suis prudent. Et c'est
pourquoi tes reproches me touchent et m'offensent
un peu.

Aussi bien, puisque Sénac sait la chose et puisque
tu sais qu'il la sait, ne va pas t'imaginer qu'il
prend ton histoire à la rigolade. Il en a paru, tout
au contraire, surpris et remué. Oui, oui, je dis
bien remué. Ce n'est pas une âme insensible, c'est
une âme naturellement malheureuse. Différence
profonde. Il m'a dit, en suçotant sa grosse moustache noire — car il s'est mis à sucer sa moustache
et, comme cela, le pauvre est complet —, il m'a
dit : « Il paraît que Justin s'est fait ouvrier

d'usine... » Alors, moi : « Comment le sais-tu ? » Il a
hoché la tête de façon vague et son œil s'est allumé
d'une vraie flamme : « Je ne trouve pas ça drôle.
Je finirai peut-être un jour par me lancer dans un
truc de cette sorte. Il faut faire des expériences.
Il faut tout essayer... »

Je le regardais avec un peu de compassion.
« Tout essayer! » Dans sa bouche, c'est affligeant.
Sans attendre, il repartait à divaguer. Il disait :
« Justin, c'est un caractère de chien, mais c'est
un gaillard qui sait ce qu'il veut. » Je te rapporte
le propos en bloc. Tel, à mon regard, c'est un bel
hommage. Et quand je pense que, pour Sénac,
tu es un caractère de chien! Admirable!

Là-dessus, il s'est repris à parler de Bièvres,
ce qu'il fait chaque jour et non sans trémolos,
reniflements et mouvements de déglutition. Et
voilà! Voilà! Si nous avions réussi, nous serions
là-bas, en proie à la terne besogne quotidienne,
aux difficultés du succès, aux palabres et aux
querelles. Et nous gémirions. Mais nous avons
échoué. L'échec laisse au rêve beaucoup de champ,
beaucoup de jeu. Comme nous avons échoué, le
Désert prend dans notre esprit des couleurs déli-
cieuses. Petit à petit, il passe au rang de souvenir
sublime. Voilà bien une consolation qui ne va pas
sans paradoxe. En y songeant, je me demande ce
que pouvait être le paradis perdu. N'est-ce pas
parce qu'il fut perdu qu'il est devenu paradis?
La vie est ainsi toute faite de contrastes déconcer-
tants. L'accoutumance et l'immunité, ce serait
vraiment trop beau, ce serait aussi trop simple.
Alors, nous avons l'anaphylaxie. Comprends-tu?
Ne comprends-tu pas? Cela signifie que la vie
s'habitue aux poisons, aux substances étrangères
et finit par les tolérer, à moins que ce ne soit tout
le contraire et que l'organisme, au lieu de s'habituer,
soudainement se révolte et préfère périr. De

quelque côté que l'on se tourne, on ne voit que contrastes, antagonismes et chicanes.

Nous voilà bien loin de Sénac. Et c'est tant mieux!

J'ai rendu visite à M. Rohner. Je lui avais demandé rendez-vous pour me présenter et pour lui annoncer ma nomination. Je t'ai fait lire son grand bouquin sur les *Origines de la Vie* et je sais que, pour un esprit de cette qualité, tu n'as que sympathie. Je pense que l'homme t'étonnerait beaucoup.

Je l'avais vu cent fois de loin, car j'ai suivi ses cours. Ce matin, je l'ai vu de tout près. Quelle surprise! Certains appareils nous donnent l'illusion de la proximité. Belle cause d'erreur : la proximité absolue nous permet seule, à nous autres, animaux infirmes, d'entreprendre une opération de connaissance. Voir à dix ou douze mètres de distance un monsieur qui disserte derrière la paillasse aux expériences, assurément, c'est quelque chose. Mais vivre, ne serait-ce qu'une minute, dans le rayonnement direct d'un être, d'un homme, se trouver brusquement le prochain de cet homme, son prochain dans l'espace et dans le temps, distinguer le grain de sa peau, le luisant de sa joue, le poil qui lui point imperceptiblement sur la mandibule, sentir son odeur, oui, oui, je dis bien, l'odeur de ses vêtements, de sa chair, de sa vie, percevoir non seulement le timbre de sa voix, mais le rythme de son haleine et, parfois, recevoir son souffle chaud sur le front ou sur la main, prendre le regard à la source, quand il n'est ni refroidi ni dénaturé par la distance et les spectacles accessoires, quand on peut éprouver le perpétuel mouvement de la pupille, des muscles moteurs, des paupières et mille autres phénomènes plus secrets, plus mystérieux encore et non moins riches, voilà, je t'assure, une fameuse aventure. Tu le vois, je me déclare sans scrupule comme un disciple de Chalgrin.

M. Rohner était dans son labo, c'est là qu'il m'a reçu. Je t'ai raconté qu'il vient de Russie où il a été soigner les cholériques et par conséquent étudier le choléra sur place. J'espérais qu'il m'en dirait quelque chose. Hélas! il n'a rien dit, ce qui m'a navré, mais aussi m'a paru tout simplement héroïque. Voilà un homme qui s'en va travailler au milieu d'une effroyable épidémie. Il revient et c'est comme s'il était allé passer le dimanche à Villeneuve-Saint-Georges pour manger de la friture. J'aime cette simplicité, bien que ma curiosité en pâtisse.

Le professeur Nicolas Rohner, à première vue, n'a pas l'air d'un savant qui s'applique avec minutie aux recherches de la biologie. A le voir, on le prendrait pour un militaire, un général de l'artillerie ou du génie, par exemple. Il est de petite taille, sans embonpoint, sans épaisseur. Il se tient droit. Les cheveux sont presque blancs, taillés court, en brosse dure. Il porte la moustache et la mouche. Les traits ne sont pas très alourdis et le teint a même une certaine fraîcheur, une certaine jeunesse. Le regard mérite une mention particulière. Il m'a déconcerté. C'est le propre regard de mon père, un regard de nacre azurée, un regard frais, froid, légèrement ironique. Par bonheur, et sans qu'il soit possible de savoir pourquoi, ce regard se réchauffe parfois et le professeur fait alors un sourire de séduction, ce qui ne va pas sans apporter quelque soulagement au partenaire.

Il n'était pas en blouse, mais en jaquette. Il doit fumer beaucoup, car sa moustache en est colorée. L'index et le pouce de sa main droite sont également jaunis. De son vêtement, de sa personne s'exhale une très délicate odeur de benjoin.

Alors que le laboratoire de M. Chalgrin est tout

simple, modeste, ombré même, ici et là, d'une fine poussière qui est comme le sceau de la rêverie, le laboratoire de M. Rohner est astiqué, fourbi, luisant. M. Chalgrin est, par le cœur, très près de Pasteur qui a fait ses plus belles découvertes dans l'humble logis de la rue d'Ulm. Chez M. Rohner on sent, au contraire, je ne sais quoi d'américain, de nickelé, d'étincelant. Ne vois, dans mes peintures, rien qui ressemblerait à l'ombre d'une critique. Je crois sincèrement que le génie peut se manifester sans pompe et sans éclat. Je pense aussi que la mesquinerie, si naturelle à certaines de nos administrations, en France, peut paralyser l'esprit et le réduire au désespoir. Tu noteras que je m'efforce d'être impartial.

Nous avons longuement parlé de mes projets. Je devrais dire : j'ai longuement parlé... M. Rohner écoute. Parfois son visage se ferme et on a le sentiment pénible de pérorer pour une muraille. A d'autres moments, il fait jouer son sourire de séduction et tout s'éclaire. Les recherches que je veux poursuivre chez M. Rohner pour ma thèse de médecine, sur le polymorphisme de certaines bactéries pathogènes, ont, je crois, retenu son intérêt. Il est le maître incontesté de la question et le premier biologiste qui se soit efforcé d'appliquer aux organismes microscopiques les vieilles idées de Hugo de Vries sur les mutations. Je te parle un langage un peu hermétique. Excuse-moi, il traduit mes pensées de tous les instants. Ne retiens de ces confidences qu'une chose essentielle, c'est qu'en divisant mes capacités de travail, moitié chez M. Chalgrin, moitié chez M. Rohner, je suis un plan mûrement préparé.

J'ai dit à M. Rohner que je préparais une thèse de doctorat ès sciences au laboratoire de biologie du Collège de France. Il a fait un sourire discret et m'a répondu qu'il estimait beaucoup la personnalité de M. Chalgrin. Quelques phrases, rien de plus. J'étais tout ému de voir ces deux grands bougres se saluer, de loin, au passage, avec tant de noble simplicité.

Pour finir, il m'a fait visiter son domaine. J'aurai un laboratoire, tout petit, mais pour moi seul. Il n'y a pas un grand nombre d'élèves, en sorte qu'on pourra mener à bien d'utile besogne. Actuellement, les laboratoires sont à peu près vides. J'ai fait la connaissance d'une grande fille brune, pâle, au regard triste, à la voix basse et grave, qui exerce des fonctions d'assistante et qui m'a paru très sympathique. Sa situation doit être des plus modestes, mais elle a beaucoup de grâce et de dignité. Je ne me rappelle plus son nom.

J'avais prévenu ma concierge que je repasserais à la maison, vers la fin de la matinée, avant de retourner chez Papillon, car, en définitive, je suis redevenu le client mélancolique de la cave à Papillon. Par malheur, on y mange mal et la plupart des copains se sont enfuis.

Comme j'achevais de monter mon escalier de la rue du Sommerard, j'ai trouvé Testevel assis sur les marches.

Testevel me fait beaucoup de peine. Cet immense gaillard a l'air d'une loque. Il a le regard fatal de quelqu'un qui est tombé dans les passions, comme disait naguère Brénugat. Loin de se faire valoir, de soigner sa personne et sa mise, il se néglige. Il est mal rasé. Les ongles sont ternes et charbonneux. Lui si vigilant autrefois, il ne brosse plus ses vêtements. Il semble se vautrer dans la frénésie sentimentale. J'en parle avec un peu d'amertume et d'inquiétude, parce qu'il s'agit quand même de ma sœur, de Suzanne. Oh! je ne suis pas fort inquiet pour Suzanne : elle n'épousera jamais Testevel. Elle a des vues sur sa carrière, sur le théâtre, sur la condition d'artiste. Elle se moque de Testevel comme d'une pomme. Elle lui donne, mille fois le jour, à tout propos, de petites claques dont certaines sont presque des gifles. Elle n'hésite jamais à le charger de mille courses impossibles. Il a repris son travail de correcteur : il est maintenant au *Matin* et il y passe une partie de la nuit. Il se lève tôt. Il devrait se lever tard. Suzanne exige qu'il vienne l'attendre de bonne heure sur le trottoir du boulevard Pasteur et qu'il l'accompagne jusqu'au Conservatoire. Il s'essouffle. Il devient blême et misérable. Suzanne a retenu les fantaisies de Sénac ; elle appelle Testevel de vingt petits noms ridicules : Têtard, Têtiche, Testambouille, etc. Il est ravi certains jours et désespéré le reste du temps. J'ai dit quelques mots à Suzanne. Elle a ri, joliment, avec tant de cruelle innocence que j'ai fini par rire aussi. Elle a des exigences et des caprices. Elle a ordonné, par exemple, au malheureux Testevel de porter des cravates Lavallière. Il est arrivé le lendemain avec un nœud à pois blancs. Elle a commencé de tirer sur les bouts de la cravate pour la dénouer, d'un coup sec, en passant. Il a refait le nœud. Elle l'a défait vingt fois. Et, toujours, un éclat de rire. J'étais furieux : c'est ma sœur. Je lui ai fait des observations. J'ai cru que Testevel allait me dévorer. Il grondait : « C'est la vie ! C'est la jeunesse ! Tu deviens bougon. Tu ne comprends donc plus rien ? »

Il m'attendait en fumaillant sur les marches de mon escalier. Il m'a dit :

— Si tu vas chez Papillon, nous irons manger ensemble.

Dans la rue, en redescendant, j'ai vu qu'il avait une barbe de quatre ou cinq jours pour le moins. J'ai fait une allusion à ce... dispositif. Il m'a répondu avec un sourire béat :

— On m'a prié de laisser pousser ma barbe. Je crois que cela m'ira beaucoup mieux. Et puis, cela cachera ce petit trou que j'ai au milieu du menton.

Hélas! Que dire? Il faut que Testevel aille jusqu'au terme de cette fâcheuse maladie. Je te répète : on ne peut rien faire entendre à Suzanne. Elle rit et vous regarde avec de beaux yeux pleins d'eau pure. Je suis un mauvais mentor et me retire déconcerté. Laissons Testevel à son destin.

Je suis heureux d'apprendre que tu reviens à la poésie et même que tu travailles, au sortir de l'atelier, malgré l'assourdissante fatigue. Je te trouve bien discret sur tes promenades avec cette ouvrière, Mlle Marthe... Si j'avais une histoire de cette sorte à te raconter, j'en emplirais mes lettres.

Je vais retourner à mon travail.

M. Rohner possède une élocution extraordinairement nette, comme toute sa personne. Il m'a pourtant semblé qu'il prononçait, en parlant du patron, Chapegrin, ou Chategrin, je ne sais plus. Pourquoi? C'est peut-être une faute d'audition chez moi plutôt qu'une faute de prononciation chez lui. Sans importance.

Je retourne à mes bouquins. Ton frère en solitude.

L. P.

20 octobre 1908.

CHAPITRE VI

RENCONTRE DE M. MAIRESSE-MIRAL. UNE CRÉATURE
DE JOSEPH PASQUIER. RÉVÉLATIONS SUR UNE FOR-
TUNE SAINE ET BIEN GÉRÉE. CATÉCHISME DU PAR-
FAIT PUBLICAIN. MÉDITATION AMBULANTE SUR LE
GÉNIE FINANCIER. MISÈRES DE L'HOMME COMBLÉ.
L'ANGE DE LA MUSIQUE APAISE LAURENT. CÉCILE PAS-
QUIER COLLABORE A DES TRAVAUX SCIENTIFIQUES.
LA PAIX DU CŒUR ET LA PAIX DE L'ESPRIT.

Je t'écris dans le feu d'une colère dont je ne
peux me rendre maître. Peut-être, en narrant mon
histoire, parviendrai-je à me délivrer. Je le souhaite. La colère me rend malade, elle m'empoi-
sonne. Je respire mal, mon cœur bat au hasard,
mes articulations sont pleines de sable, je me sens
l'estomac houleux et j'ai la langue sèche parce que
les glandes salivaires sont frappées de stupeur.

Et tout cela pour trois fois rien, comme tu vas
le voir. C'est contre moi-même que je suis en
colère.

Je sortais de chez Papillon, vers une heure de
l'après-midi, et je m'apprêtais à traverser le boulevard Saint-Michel quand j'ai rencontré M. Mairesse-Miral. Nous nous sommes serré la main et j'ai
d'abord pensé que c'était tout à fait suffisant.

Je t'ai parlé quelquefois de M. Mairesse-Miral

et tu l'as vu pendant notre fameux séjour à *La Pâquerellerie*, il y a deux ans. M. Mairesse-Miral est le secrétaire, le factotum, la créature de Joseph. Veuille remarquer au passage comme les mots sont adaptés à leurs emplois ordinaires : M. Mairesse-Miral est un secrétaire à qui la moindre prudence conseille de ne livrer aucun secret ; en outre on l'appelle factotum parce qu'il ne fait presque rien, du moins presque rien d'essentiel. Joseph le présente ainsi : « C'est mon homme de défiance. » Et M. Mairesse-Miral accepte le titre avec un sourire verdoyant. Je suis bien obligé de croire que M. Mairesse-Miral est habile à certains travaux obscurs pour lesquels, dans les métiers de finance, on a toujours besoin de collaborateurs.

Il était donc là, sur le trottoir, et j'allais le quitter sans regret quand je me suis senti touché de commisération.

M. Mairesse-Miral n'est jamais vêtu de manière somptueuse. Il prise et son gilet est semé de grains de tabac et tout empesé de morve. Il a des bajoues, des mentons de rechange, des fanons, tout un attirail de lard et de peau qui lui pend sous la mâchoire. Les yeux sont gros, à fleur de visage ; l'un d'eux a la pupille très dilatée, l'autre l'a punctiforme, ce qui ne laisse présager rien de bon pour l'avenir du sujet. Le poil — moustache et chevelure — est rare et voltigeur, mais teint avec application. Le personnage fait parfois de vains efforts pour inscrire un monocle dans la bouffissure de ses paupières. Sa voix est grave et rouillée. Il porte des guêtres chamois toutes festonnées d'éclaboussures. Je ne le crois ni sot ni maladroit. C'est probablement un bonhomme faible devant certains plaisirs. Il a dû commencer par une toute petite saleté et le reste a suivi. Joseph travaille, hélas ! à l'avilir en le chargeant sans doute des saletés qu'il ne veut pas prendre à son propre compte. Il peut te paraître que je suis aujourd'hui sans indulgence. Tu vas comprendre pourquoi.

J'enveloppe donc M. Mairesse-Miral d'un regard attentif et compatissant et je lui dis :

— Cela ne va pas trop bien, monsieur ?

M. Mairesse-Miral met la main devant sa bouche, étouffe deux ou trois borborygmes et répond :

— Hélas ! non, cela ne va guère.

— J'ai peur de connaître la raison de vos ennuis, lui dis-je avec douceur.

— Vraiment ? Et pourquoi non, en effet ?

— Je sais que vous allez probablement quitter le service de mon frère. Soyez sûr, monsieur Mairesse-Miral, que je compatis de tout cœur aux difficultés que vous éprouvez.

M. M.-M. — tu me permettras de temps en temps cette abréviation — lève les sourcils, déplie les bouffissures de son visage, laisse tomber son monocle et dit :

— Quitter M. Pasquier ! Par exemple ! Je me demande pourquoi. Non, il n'est pas question de quitter M. Pasquier. Quand je parle de mes ennuis, c'est surtout aux troubles de l'estomac et de l'intestin que je pense, voyez-vous ? monsieur Laurent.

J'hésite un quart de seconde. Il me semble quand même impossible que Joseph ait pu laisser ignorer l'état de ses affaires à l'homme de main qui vit et rampe dans son ombre. Je poursuis prudemment :

— On m'a dit et je croyais savoir que mon frère se disposait à modifier le train de sa maison et l'organisation de son affaire.

M. Mairesse-Miral tire à grand bruit de ses poumons asthmatiques deux ou trois mucosités et me prend par le bras.

— Monsieur Laurent, me dit-il, nous sommes très mal sur ce trottoir pour parler du génie financier de monsieur votre frère. Faites-moi l'honneur d'accepter un café-crème. Si, si, je sais ce que je fais :

ma trésorerie est assez satisfaisante. Il me semble, monsieur Laurent, que vous manquez de clartés sur une personne qui vous touche de près et qui est une des plus curieuses figures du siècle nouveau, si je ne m'abuse.

Il me pousse, il me tire et me voilà bientôt assis à la terrasse du Vachette, dans l'encoignure des verrières, côté musée de Cluny. M. Mairesse-Miral sourit, redistribue les paquets de graisse qui nous dérobent son visage, imprime le monocle dans l'épaisseur de la motte et dit placidement :

— Me ferez-vous l'honneur, monsieur Laurent, de m'expliquer pourquoi monsieur votre frère songe à modifier la marche de sa maison ?

— Mais, dis-je avec un peu d'humeur, vous devez le savoir beaucoup mieux que moi : parce que mon frère est ruiné.

M. M.-M. ferme un œil — celui qui reste dépourvu de monocle —, serre une bouche à fronces et murmure :

— Ah! Bien! Bien! Très bien! Je vois ce que c'est.

Légère toux, râles variés. Récurage de la gorge. M. M.-M. roule et allume une cigarette en répétant :

— Je vois, je vois parfaitement...

Puis il touche un des boutons de mon gilet avec le dos de sa main, ramène la main vers lui en la fermant à demi et poursuit, d'un ton confidentiel :

— Monsieur Laurent, il me semblerait manquer à tous mes devoirs si je ne profitais pas de cette rencontre pour vous apporter quelque apaisement au sujet de votre frère. Mais, attention! Attention! Ce que je me permets d'exiger respectueusement de vous, c'est une discrétion absolue. Vous n'avez pas l'intention, vous, jeune homme au noble cœur, de provoquer la disgrâce de Jean Mairesse-Miral et de le réduire ainsi à la misère et au désespoir.

65

Donc, votre parole. Je l'ai! Merci. Vous savez que je nourris pour monsieur votre frère une saine admiration. Pouvez-vous me dire de qui vous tenez les tuyaux touchant la ruine de M. Joseph?

— Mais, fais-je en haussant les épaules, de lui, de lui seul.

— Parfaitement! Tout s'éclaire. Encore une question, monsieur. A quelle date M. Joseph a-t-il jugé nécessaire de vous faire part de cette fâcheuse nouvelle?

— Je ne sais plus au juste. C'était à la fin du mois dernier. Attendez, je me rappelle, maintenant : ce devait être le 21. C'était un lundi matin, oui, le 21.

— Vous m'étonnez, vous m'étonnez : on ne se ruine pas un lundi dans le métier de monsieur votre frère.

— Pourquoi?

— Le lundi, la Bourse est fermée depuis près de deux jours. Allons, monsieur Laurent, je commence à comprendre. Permettez-moi de vous rassurer d'une manière presque complète. Les affaires de M. Joseph sont bonnes et sa position financière n'a pas subi, dans ces derniers temps, de changements considérables. Vous avez l'air étonné.

— Monsieur Mairesse-Miral, vous devez vous tromper. Nous avons eu, le 21 septembre, une solennelle réunion de famille au cours de laquelle Joseph nous a déclaré qu'il était ruiné et qu'il allait sans doute sortir de cette aventure chargé de dettes énormes.

M. M.-M. sourit, prend une prise de tabac, l'aspire, fait le geste de chasser une mouche ou de disperser des arguments frivoles et reprend plus bas :

— Il vous a dit cela, sans doute, et vous l'avez cru, ce qui est naturel : M. Joseph Pasquier possède le don admirable de faire croire ce qu'il dit et de croire ce qu'il veut croire. Mais soyez-en sûr, cher monsieur, je connais la fortune de monsieur votre frère. Elle est saine et bien gérée. Rien à craindre. Oh! il y a les surprises, les à-coups, les faux pas. Ils sont infiniment rares dans la vie de monsieur votre frère. Et c'est tant mieux, car il les supporte très mal. Voyons, tâchons d'analyser la conjoncture. Le vendredi 18 septembre, les Barrages de la Roumagne — une valeur excellente et dont monsieur votre frère est proprement le créateur — ont subi un tassement brusque et tout à fait injustifié — peut-être cette histoire de sécheresse dans les bassins de la Roumagne, mais c'est une plaisanterie : il pleut tous les jours là-bas. J'y vais parfois en mission, je sais ce que je dis. — Monsieur votre frère a perdu, sur le papier, une somme que je peux évaluer à trente mille francs, pas un louis de plus. Je peux bien vous avouer qu'il a été d'une humeur massacrante. A l'heure actuelle, il est possible d'envisager un prompt rétablissement de cette valeur honnête. Vous me regardez, vous semblez surpris...

— Mais enfin, monsieur Mairesse-Miral, et l'immeuble de Paris, et la villa de Beaulieu, et le château du Mesnil...

— Eh bien, cher monsieur, toutes ces propriétés sont en bon état, je peux vous l'affirmer. Ça me fait plaisir de vous réconforter un peu. Attendez, monsieur Laurent, laissez-moi vous poser une question qui n'est pas indiscrète après ce que nous venons de dire. Savez-vous si M. Joseph a, pendant cette réunion de famille dont vous avez eu la bonté de me parler tout à l'heure, fait au sein de sa propre famille ce que nous appelons un appel de fonds, dans notre jargon professionnel?

J'ai secoué la tête de haut en bas et M. Mairesse-Miral s'est mis à rire, ce qui ne va pas sans conséquences dramatiques, parce qu'il s'étrangle et qu'une sorte de tempête ravage les plis de son visage et de son cou.

— Ah! disait-il, c'est admirable! Je ne connais personne qui lui vienne à la cheville. Quel homme! Il est parfois terrible, mais il m'intéresse et, dans une certaine mesure, il m'enthousiasme. Rooh! Rouh! Hum, Ham, Hi hi! — Ici, quinte de toux et quinte de rire! — J'ose à peine vous demander l'importance de cet appel, le chiffre des capitaux rassemblés en ce jour mémorable. Mais je ne crois guère me tromper en disant que le chiffre doit être sensiblement égal à celui de la perte subie. Oh! je connais M. Pasquier. C'est un homme de doctrine. Chaque perte doit être sans retard compensée par une rentrée équivalente, obtenue par un moyen quelconque. L'homme qui accepte de perdre un louis sans une compensation précise et immédiate, cet homme est fait pour les catastrophes. Monsieur Laurent, vous m'étonnez, vous avez l'air affecté. Je pensais vous apporter des nouvelles rassurantes. Savez-vous que monsieur votre frère est un maître, un génie, à sa manière, oui, je dis bien : le génie de la galette ?

Il riait encore et reprenait des pincées de tabac. Comme il n'avait pas l'air pressé de quitter la place, j'ai payé les consommations et je l'ai planté là, non sans entendre encore diverses propositions pertinentes et lyriques sur le génie de la finance.

J'avais un moment devant moi, je me suis précipité dans l'omnibus. Je suis allé rue de Prony, voir Cécile. Je me sentais quand même très agité. Non pour l'argent, inutile de te le dire. Mais je ne comprenais pas et j'aime à comprendre. Joseph nous a dit qu'il était ruiné. A-t-il pu vraiment se moquer de nous à ce point, de nous qui sommes pauvres, très pauvres à côté de lui ? L'omnibus roulait et je retournais dans ma tête des pensées furieuses : le génie financier existe peut-être, mais c'est un génie vulgaire et odieux. Il y a des pays qui n'ont jamais produit un homme remarquable, jamais un artiste, un savant, un poète, et qui produisent régulièrement des gagneurs de sous, des manieurs de papiers, des accumulateurs d'argent. Non! Non! ce génie-là, je le renie, je le recrache.

Cécile était chez elle et travaillait au clavecin. Il m'a semblé que j'apportais dans cet asile de pureté parfaite une bouffée de pensées empoisonnées. Cécile a tout de suite compris que je n'étais pas en selle. Elle a laissé ses mains sur les touches et m'a dit en souriant :

— Allons! Qu'est-ce qui peut bien te mettre la figure à l'envers?

Je n'en attendais pas davantage pour éclater :

— Joseph s'est moqué de nous!

Cécile a levé les épaules et s'est tournée vers moi d'un air soudain résigné. Elle disait :

— Oui, oui, je crois savoir pourquoi tu dis cela.

— Tu sais! Tu sais ce qu'il a fait! Et tu souris et tu pardonnes! D'abord, comment le sais-tu?

Cécile faisait des épaules un mouvement évasif. J'ai commencé de marcher dans la pièce en grondant :

— Il est riche et puissant. Il a voulu posséder de l'argent et des biens. Il en possède. Il nous méprise, il se moque de nous et, pour finir, il joue une comédie épouvantable, inexplicable, et nous soutire en s'amusant les quelques sous que nous possédons les uns et les autres. Oh! ce n'est pas pour ce peu d'argent, Cécile, tu me connais. Mais quelle humiliation! Et comme il a dû rire! Comme il nous a bafoués! Cécile, c'est intolérable!

Cécile avait les mains jointes sur ses genoux, dans cette position d'attente et de prière qu'elle prend souvent, même au concert, en face du public. Elle portait la dernière robe blanche de la saison.

Elle a laissé ma colère galoper et, tout à coup, avec beaucoup de sagesse dans la voix :

— J'ai su presque tout et j'ai compris le reste. On m'a même donné des renseignements. Il y a toujours quelqu'un pour donner des renseignements. Voyons, Laurent, sois juste : Joseph est un malade. Si l'on te disait à l'instant que les expériences de Pasteur ne sont que des impostures, tu serais fou de désespoir, parce que tu crois à la science. Et si l'on nous prouvait à tous deux, ce qui est bien impossible, que le *Concerto en la* de Mozart est l'œuvre d'un obscur aliéné alcoolique, nous serions désorientés et quand même très malheureux parce que nous avons foi en l'art. Joseph ne croit qu'à l'argent. Il n'est pas un homme fort et puissant comme il se l'imagine. Il est faible et misérable. Oh! je le connais mieux que toi. Chaque fois qu'il souffre, il vient me voir. Cela t'étonne, mais c'est ainsi. Ce n'est pas pour me demander de la musique, c'est pour s'épancher, à sa façon. Tu connais mal Joseph. Il souffre, comme tout le monde. Quand il perd cent francs, lui qui est millionnaire, il se croit soudain le plus dépourvu des hommes. Il a perdu quelque chose comme trente mille francs et il s'est jugé ruiné. Il a tout de suite vu les enchaînements d'échecs et de déconfitures. Il était fou d'angoisse. Il est venu me raconter sa catastrophe et il a fini par me convaincre. Moi aussi, je le voyais ruiné. Je l'ai plaint. Je le plains encore. Il vit dans l'opulence, mais aussi dans le soupçon et la terreur. Les jours qu'il n'a fait aucun profit, il commence de trembler et d'imaginer des méthodes nouvelles, il est saisi par le sentiment de l'indigence et la peur du manque. Il y a des moments où, avec tous ses châteaux, ses maisons, ses valeurs, ses coffres pleins et toutes les autres richesses que nous ne connaissons même pas, il y a des moments où il est aussi dénué qu'un pauvre du trottoir.

Cécile parlait, bien droite, calme, vraiment très simple, comme pourrait parler Minerve, la mère des arts. Une Minerve compatissante, une sagesse toute de douceur. Elle a dit, pour finir, avec un sourire étrange :

— Il paraît que cela s'arrangera. En définitive j'espère bien qu'il n'aura rien perdu, et même qu'il aura peut-être gagné quelque chose.

— Tu l'espères ?

— Mais oui, puisque c'est son mal et qu'il n'a pas d'autre façon de l'apaiser un peu.

Je me suis mis à rire. Et, comme Cécile avait triomphé, elle a, pour célébrer cette victoire amicale, joué une petite pièce de Hændel, une sarabande légère et mélancolique, mais d'une noble et charmante élégance. Puis elle m'a offert le thé. Nous achevions de le prendre et il était de très bonne heure quand Richard est arrivé avec ses boîtes, ses cultures et ses cahiers d'expériences. C'est très drôle ce matériel dans le salon de Cécile. Elle ne marque aucune mauvaise humeur. L'idée de Richard Fauvet est quand même intéressante. A mon sens, on aurait pu faire tout cela de manière plus simple, au laboratoire. Mais Richard tient essentiellement à ce que le « bain musical » soit donné dans des conditions artistiques tout à fait exceptionnelles. Il dit : le même air joué par M. Tortempion et par Mlle Pasquier n'a pas du tout les mêmes propriétés sur nos oreilles et sur notre sensibilité d'homme. Si nous voulons étudier l'influence de la musique sur certaines cultures d'organismes élémentaires, il nous faut tout de suite aller à l'art le plus élevé. Il vient donc et il note : « *Concerto* de Vivaldi. Telle tonalité. Tant de minutes. Clavecin. » « *Mazurka* de Chopin en *mi*. Tant de minutes. » Ce qui, je peux bien te l'avouer, me semble un peu ridicule. Cécile montre une patience d'ange. D'ailleurs, elle joue sans s'occuper de rien et même sans jamais regarder les manigances de Fauvet. M. Chalgrin, pris à témoignage devant moi, a dit avec de fins sourires : « Il faut toujours essayer. »

J'ai laissé la musicienne et l'expérimentateur. Dans la rue, la colère m'a repris. Elle me tient encore. Il est possible que Joseph soit malheureux à sa manière, mais il me fait horreur. Pas d'autre mot. J'aurais dû dire : « Tu as perdu ta fortune ? Au point de vue social, c'est justice toute pure, et pour toi-même, ô Joseph! c'est une excellente leçon. » J'aurais dû parler ainsi et lui tourner le dos. Au lieu de cela, je me suis laissé petit à petit attendrir, circonvenir et duper. Difficile à digérer quand même. Je tiens à rendre hommage à monsieur le financier. Il se plaignait l'autre jour de ne pouvoir épater sa famille. Rappelle-toi, ce sont ses propres termes. J'ai le sentiment que cette fois le résultat est atteint.

Je fais, de nouveau, le serment de ne plus jamais te parler de l'exécrable Joseph. J'ai manqué de pureté. Cette ridicule histoire me rappelle à l'ordre. Je veux que toute ma vie soit désormais un hymne aux maîtres que j'aime et vénère. Je veux vivre en paix. Je sais que cela est difficile et pourtant j'y arriverai. Je crois avoir déjà conquis la paix du cœur. Je saurai mériter la paix de l'esprit.

Salut et fraternité.

L. P.

23 octobre 1908.

CHAPITRE VII

CONFIDENCES DE JEAN-PAUL SÉNAC. ESCARMOUCHE
AVEC STERNOVITCH. SENTIMENT DE M. CHALGRIN
SUR LA CONTEMPLATION DANS LES SCIENCES. QUE
LES INTELLIGENCES ADMIRABLES NE COURENT PAS
LES RUES. RICHARD FAUVET EST LE PUR ENTRE LES
PURS. LAURENT CHERCHE SON ORIENT.

Vivre en paix n'est pas facile. La dernière visite
de Sénac m'a jeté dans un grand trouble.

Je pense que tu vas bondir, froisser ma lettre,
lancer des imprécations et gronder : « Pourquoi
revois-tu Sénac? Abandonne donc le triste Sénac
à son destin, etc. »

Vieux frère, je revois Sénac parce que c'est un des
nôtres. Je le juge, crois-le bien, je le pèse et le
mesure sans aveuglement, mais j'éprouve pour lui,
depuis plusieurs années, quelque chose comme de
la curiosité cordiale. Je me sens plein d'indulgence.
Il n'est dépourvu ni de sensibilité ni d'esprit. Il
est malheureux et c'est quand même un poète.

Veuille bien noter que je revois tous nos amis
du Désert. Si nous nous étions séparés pour toujours,
notre échec aurait eu quelque chose d'inexpiable
et d'empoisonné. Non, je les revois et parfois même
avec plaisir. Je les revois tous, sauf Jusserand. Il
nous évite, il ne veut plus nous connaître, il ne

nous aime plus. Est-ce parce qu'il est devenu riche? Non, sans doute. Je crois plutôt qu'il souffre de quelque remords et qu'il ne peut prendre sur lui de nous pardonner sa faute.

Pour les autres, ils sont au même point que Sénac. Cela signifie qu'ils parlent de notre aventure avec des tremblements et des soupirs de regret.

Que j'en revienne à Sénac. J'ai senti tout de suite qu'il avait quelque chose à me dire, quelque chose de précis et de préparé. Quand Sénac entend faire une communication de prix, il commence par tourner le dos à son objet et par deviser au hasard. Il s'est donc mis à bâiller et à discourir de cette voix molle que tu connais. Il se plaignait de sa santé, qui n'est pas si mauvaise qu'il veut bien le dire. Il gémissait :

— Qu'est-ce qui se passe dans cette boutique? Qu'est-ce qui se passe dans ma bougresse de carcasse? Tu me croiras si tu le veux : un jour je pisse au moins trois litres et le lendemain cinquante gouttes. Et sans raison, sans raison. Cela change tous les jours, c'est à n'y rien comprendre.

Il a bâillé de nouveau, puis il s'est passé la main sur le front. Il soupirait :

— Je perds mes cheveux. C'est quand même un peu tôt. Je suis allé chez le coiffeur, hier. Il m'a dit : « C'est du beau petit cheveu. Dommage qu'il n'y en ait guère. » Je ne suis pas susceptible, mais c'est vexant.

Le fait est que Sénac devient chauve. Je le regardais pendant qu'il s'épanchait ainsi, je le regardais et, soudain, je l'apercevais avec son visage futur, avec son visage de vieillard. Oui, le premier d'entre nous, Sénac m'a montré, l'espace d'une seconde, son visage de déclin, et j'en étais tout attristé.

Sa confidence majeure ne devait pas être encore à température convenable, parce qu'il a continué de tourner autour du pot. Il m'a vanté la vie soli-

74

taire. Il a trouvé dans le bout de la Tombe-Issoire une retraite surprenante, une bicoque mal close qui comporte deux vagues pièces, qui a dû servir d'atelier à un peintre et qu'on loue à bon compte parce que nul n'en voudrait. C'est au fond d'une impasse. A l'entour, il n'y a guère que des écuries désaffectées, des magasins, des terrains vagues. Sénac vit là, depuis la chute de notre Désert, avec le chien Mignon-Mignard et une cage où grelotte un vieux pigeon mâle. Sénac a découvert la volupté de la solitude. Il s'enivre de silence, d'immobilité, de désenchantement. Il en parle parfois avec un certain lyrisme. Reconnais que ce n'est pas d'une âme tout à fait vulgaire.

J'en étais là de mes observations sur le visiteur quand il a murmuré soudain :

— Quelle drôle d'idée d'aller travailler comme préparateur chez Rohner, quand on est un des meilleurs élèves de Chalgrin!

Je te ferai remarquer, Justin, que je ne me permets presque jamais de dire Chalgrin tout court, ou Rohner tout sec. Mais Sénac n'est pas fier : il tutoie volontiers les grands personnages.

Je n'ai rien répondu, tout d'abord. J'attendais une autre attaque. Elle est venue, lentement.

— Moi, disait Sénac, je ne me mêle point de ce qui ne me regarde pas. Pourtant, d'ordinaire, tu n'es pas maladroit, toi, Laurent. Tu sais même assez bien t'y prendre pour organiser ta vie. Est-ce que tu l'as fait exprès ? Est-ce pour les observer ? En ce cas, ça vaudrait la peine. A moins encore que Chalgrin ne t'ait prié de t'introduire dans l'autre place. Et en ce cas, je n'ai rien dit.

Je viens de te faire plusieurs déclarations en faveur de Sénac. Je n'en suis que plus à l'aise pour t'avouer que le ton de ses paroles m'a vivement indisposé.

Nous nous trouvions seuls, à cette heure, dans le

laboratoire. Le garçon était à nettoyer les clapiers et les chenils. Je ne disais rien, et comme Sénac en éprouvait un peu de gêne, il a continué de parler. Des bribes de phrase, qui m'égratignaient ou me déchiraient au vol.

— Tu es dans ce milieu-là depuis déjà des années. Moi, je n'en sais presque rien. Et puis, je ne suis pas du métier. Je vois tout cela comme un scribe. N'importe! La bisbille Rohner-Chalgrin, c'est une chose dont on parle, à voix basse, il va sans dire. Tu n'es pas un naïf. C'est que tu as ton idée. Cela ne fait rien, Laurent, méfie-toi. Ces deux messieurs se détestent. Et le pire est qu'ils n'en montrent rien. Ce doit donc être assez grave. Moi, j'aime beaucoup M. Chalgrin. Les rapports que nous avons, je les trouve on ne peut plus agréables. Et, tu sais, Laurent, je n'oublie pas que tu m'as procuré cette place dans un moment où je n'avais rien et où j'étais assez fatigué de tirer le diable par la queue. Qu'est-ce que tu regardes là?

Je venais de remarquer, sur la joue et le cou de Sénac, une longue estafilade qui n'était certainement pas un coup de rasoir. Et, comme je pointais l'index, il a poursuivi :

— C'est le chat de Mme Chalgrin. Une curieuse bête, couleur ventre de taupe, demi-angora. Oh! nous sommes très bien ensemble. Un matou, que je te le dise. Nous nous entendons, d'ordinaire. Mais parfois, quand je le caresse, il m'allonge un coup de griffe... Moi, j'aime beaucoup M. Chalgrin. Je ne comprends presque rien à ce qu'il me fait copier — j'entends les travaux scientifiques. — Je vois passer des idées qui m'étonnent, oui, qui me frappent. Il n'est pas nécessaire d'être spécialiste pour piger quelque chose à une belle réfutation, par exemple, pleine de flamme et de vigueur, avec une pointe de méchanceté. Dis-moi, Laurent, les *Origines de la Vie*...

— Oui. Eh bien?

— C'est un bouquin de Rohner?

— Mais oui, et c'est un bouquin très épatant.

Sénac s'est mis à rire. Et je me demandais ce qu'il allait me raconter, je me le demandais non sans un peu d'angoisse et même de répugnance quand est survenu Sternovitch. Sois tranquille, je n'ai pas l'intention de lâcher Sternovitch dans notre correspondance. Sternovitch est un juif russe qui vient parfois ici pour y faire certaines recherches. Si je t'ébauche son portrait, tu vas tout de suite crier que je tombe dans l'antisémitisme. Et pourtant, tu sais que je t'aime, toi, juif, ami fraternel. Mais, vraiment, vous avez le cuir trop irritable, vous êtes impossibles. Je ne peux rien dire d'un juif sans que tu prennes cela pour toi. Il faut quand même être juste. Toute l'amitié, toute l'admiration que je te porte ne peuvent pas m'empêcher de trouver Sternovitch, en propres termes, puant de suffisance et d'orgueil. Il est persuadé que les peuples occidentaux sont des peuples arriérés et misérables, des peuples qui ne savent ni penser, ni créer quoi que ce soit, ni même organiser, ni même administrer les biens qu'ils ont reçus du Ciel. Il est persuadé qu'un jour futur lui et ses pareils, tous plus ou moins marchands et usuriers, parqués aujourd'hui dans quelque sordide bourgade des steppes, ils organiseront le monde et nous apprendront à mettre nos idées en ordre et à gouverner nos affaires sous leur bienveillante direction. Voilà! Tant pis! Tu n'es aucunement responsable de Sternovitch; ne perds pas à le défendre un atome de ton courage.

Sternovitch est donc entré dans le laboratoire au moment même où j'attendais de l'illustre Jean-Paul Sénac un surcroît de confidence. Alors Sénac s'est levé. Je suis resté seul à ma table. Les deux visiteurs ont commencé de s'asticoter comme ils font d'ordinaire. Je les entendais de loin. Sénac avait tiré de sa serviette un bloc de papier et le Russe disait, en roulant derrière les gros verres de ses lunettes deux yeux luisants que la réfraction fait paraître extrêmement petits :

— Alors, vous, les Français, vous avez besoin d'avoir des raies sur le papier pour marcher droit !

— Non, répondait Sénac avec l'air d'un chat qui vient d'apercevoir une mouche. Non, pas toujours. J'écris habituellement sur un papier dit écolier et qui ne porte pas de raies.

— Ah! oui, répondait Sternovitch, c'est ce papier dont les feuilles ne sont même pas attachées.

— Parfaitement. Nous autres, Français, nous n'avons pas besoin d'attacher le papier pour tenir les idées en respect.

— Alors, pourquoi vous servez-vous aussi de ce papier qui porte des lignes ?

— Pour écrire à côté des lignes, sifflait Sénac sur un ton goguenard. Nous autres, nous mettons des lignes pour ne pas les suivre. Comprenez ?

Sternovitch a tout aussitôt parlé d'indiscipline. Cela devenait idiot. J'ai laissé les deux bougres se chamailler ainsi pauvrement. J'étais mécontent et inquiet. Pourquoi ne pas t'avouer que, depuis quatre ou cinq jours, M. Chalgrin ne m'avait à peu près rien dit, lui qui me traite en ami plutôt qu'en élève. J'ai commencé de compter les fois que M. Chalgrin avait traversé le laboratoire sans m'adresser la parole et même sans avoir l'air de me voir et je me suis senti soudain très malheureux. A ce moment, les querelleurs ont cessé de quereller. Sénac se préparait à passer dans la bibliothèque. Il est venu me serrer la main et il a dit, à mi-voix :

— N'aurais-tu pas remarqué, mon cher, que, dans le gros bouquin de Rohner où le monde entier comparaît, notre maître Chalgrin n'a même pas les honneurs d'une toute petite citation ?... Ah! je m'en vais. Il est temps. Nous reparlerons de cela plus tard, si du moins nous y pensons.

La matinée a été morose. J'avais le sentiment qu'un poison dénaturait mes pensées. La certitude m'était venue que M. Chalgrin me battait froid, que j'avais dû faire une maladresse énorme et difficilement réparable. J'en voulais à Sénac de m'avoir éclairé, oui, je lui en voulais de m'avoir, en somme, rendu ce triste service.

A la fin de la matinée, M. Chalgrin est venu dans le grand laboratoire. Il s'est assis près de moi. J'étais plein d'inquiétude et de trouble. Il m'a regardé travailler sans rien dire, tout d'abord. Puis, de cette voix légère et presque dématérialisée :

— Est-ce que vous perdez du temps, Pasquier?

J'étais tout à fait surpris. Je me suis senti rougir et j'ai répondu :

— Je ne crois pas. Non, patron.

— Ah! Ah! Vous êtes un bûcheur et vous avez raison. Pourtant, il faut savoir perdre du temps. La vérité nous touche parfois dans le loisir quand nous ne pensons à rien et que nous sommes parfaitement ouverts, que nous sommes accessibles.

J'étais bien étonné : M. Chalgrin est un grand travailleur. Je me demande s'il prend le temps de dormir. Et, tout à coup, cette question! Il a dit encore :

— On parle toujours de l'observation dans la science. On devrait, n'était la pudeur, parler de contemplation. Ce sont les choses et les êtres que l'on ne regarde pas, à qui l'on ne demande rien, qui vous livrent leur secret.

J'attendais un commentaire. Alors M. Chalgrin s'est levé, m'a tendu la main et a dit encore :

— Depuis quelques jours il me semble que nous avons très peu causé. Excusez-moi, mon ami. Mon travail me tourmente beaucoup. Je suis amené, petit à petit, à des suppositions telles que je préfère ne vous en rien dire. Vous les trouveriez étranges, peut-être déraisonnables. Allons, à demain, Pasquier!

J'ai répondu, comme d'habitude :

— Au revoir, patron.

M. Chalgrin allait sortir. Il est revenu très vite et m'a dit, en souriant :

— J'aime ce mot de patron. Mais j'espère bien, Pasquier, que vous le gardez pour moi seul. Enfin, vous me comprenez...

Je dois dire que ces derniers mots m'ont replongé dans le trouble.

J'arrange mon temps de façon telle que je peux donner à peu près toutes les matinées au Collège et le reste du jour à l'Institut. Il me semble que je commence à comprendre M. Rohner. Il m'intimide. Il m'intimidera toujours. Ses jugements sont, faut-il dire ? sans appel. Hier soir, il m'a parlé de M. Hermerel chez qui je travaillais avant le Désert et que, tu le sais, j'aime beaucoup. J'ai répondu :

— C'est une intelligence admirable!

M. Rohner a gardé le silence en souriant. J'ai repris :

— Ne le croyez-vous pas, monsieur?

Et le professeur, avec un geste vague :

— Mais si, puisque vous le dites.

J'étais tout à fait désarçonné ; j'ai poursuivi quand même, avec beaucoup de flamme :

— M. Hermerel m'est toujours apparu comme un savant d'une intelligence exceptionnelle.

M. Rohner a froncé légèrement les sourcils, qu'il porte longs et broussailleux.

— Allons, allons, disait-il d'une voix en même temps séduisante et sèche, ne parlez pas à tort et à travers des intelligences admirables. Cela ne court pas les rues.

J'ai grand-peur que le terrible Sénac n'ait mis son doigt indiscret sur des plaies cachées. J'écoutais, hier, de loin, le professeur Rohner deviser avec un de ses collègues des Sciences. Il articulait de sa voix sans vibration :

— C'est un rêveur et un esprit essentiellement irrationnel. Que vient-il faire aux Études rationalistes ?

Et j'ai soudain eu peur. Pourvu que ces paroles ne concernent pas le cher patron! Ne t'ai-je pas dit que l'on venait de le nommer président de la Société des Études rationalistes ? J'avoue que je me perds dans ces nuages et ces ténèbres. Fauvet est arrivé comme j'allais me retirer. Il est avec moi presque aimable et même presque amical. Pendant que je me lavais les mains, j'ai dit, mais avec beaucoup de détachement :

— Saviez-vous que le patron eût des histoires avec M. Rohner ?

Fauvet a haussé les épaules.

— Des histoires! Qui vous a raconté cela ? Non. Je ne vois pas.

Je n'ai pas insisté. Sénac doit se tromper. Ce qui m'inquiète, c'est qu'il vit quand même très près de M. Chalgrin, c'est qu'il fait la correspondance et tape à la machine bien des écrits qui ne sont même pas publiés et dont je ne sais rien.

A propos de Fauvet, je veux te faire des reproches. Tu ne connais pas Fauvet et tu lui marques une hostilité presque hargneuse et qui me choque un peu. Sache-le, Richard Fauvet n'est pas de mes intimes et n'en sera probablement jamais. C'est un monsieur d'une essence bien différente de la nôtre. Un garçon de la plus exquise distinction, un homme de goût. Un homme qui a, pour mieux dire, le monopole du goût et qui le manifeste dans le moindre de ses gestes et dans la moindre de ses paroles. Nous autres, mon cher Justin, nous sommes des Béotiens et des sauvages à côté de M. Fauvet qui est le pur entre les purs.

Allons, Justin, que ce petit croquis te rassure au sujet des sentiments que je nourris à l'égard de Fauvet. Ce n'est pas un collègue désagréable. Il ne m'inspire qu'une sympathie des plus réservées.

Et puis, zut! Je suis las et inquiet. L'idée que des hommes comme Chalgrin et Rohner pourraient s'opposer et même se combattre ne me semble pas inhumaine : on a vu des choses telles dans le temple de la science. Mais l'idée qu'ils pourraient ne pas s'estimer, ne pas s'admirer, m'offense et me déconcerte. Ils sont intelligents au suprême degré, que diable! Ils n'ont qu'à lire, à réfléchir et à comprendre. Qui pourrait mieux qu'eux le faire?

Ton Laurent désorienté.

30 octobre 1908.

CHAPITRE VIII

LA VÉRITABLE SÉRÉNITÉ N'EST PAS ABSENCE DE
PASSION. NOUVEAU PORTRAIT DE M. ROHNER. LA
CANNE ET LA POCHE, ESQUISSE PHYSIOLOGIQUE.
DÉCISION RELATIVE AU PORT DES DÉCORATIONS.
QU'ON NE SAURAIT ÊTRE INDULGENT POUR LES SIENS.
CRITIQUE DU FINALISME. OÙ L'ON ENTREVOIT LE
DOCTEUR ROUX. CATHERINE HOUDOIRE, AMIE DE
LAURENT. LÉON SCHLEITER ET LE DÉMON DE LA
POLITIQUE. CALME DE LAURENT L'OLYMPIEN.

Calme ineffable! Olympienne sérénité! Telle est
maintenant ma vie, cher Justin. Note pourtant que
ce beau calme ne signifie certes pas mollesse et que
rien n'est plus loin de la froideur que cette sérénité
vivante à laquelle je m'élève petit à petit. La véritable sérénité n'est pas absence de passion, mais
passion contenue, élan maîtrisé. Je travaille à me
réduire, entends bien : à me dominer.

Tu sais que M. Rohner est, décidément, une figure
très étonnante. Je suis bien sûr qu'il te plairait.
Je t'ai dit qu'il était de petite taille. C'est peu
sensible, car il se tient très raide. Je crois même
qu'il porte une ceinture, une manière de corset. Il
dit : « Le ventre, ce n'est pas une simple affaire de
graisse et d'avachissement, c'est une déformation
morale. On prend du ventre quand l'esprit se relâche

et consent à la décadence. » M. Rohner ne consent point. Il fait, matin et soir, de la gymnastique suédoise. Il observe un régime alimentaire très rigoureux et qu'il ne désespère pas d'imposer au monde entier. Il porte une jaquette strictement boutonnée, ce qui le fait paraître encore plus droit. En semaine, il se coiffe d'un petit chapeau rond, un feutre noir et léger. Il a toujours une canne. Il dit : « La canne et la poche font partie de la physiologie humaine. La canne et la poche sont des annexes de l'organisme. Ma canne prolonge ma sensibilité tactile et musculaire de quatre-vingt-cinq centimètres. Elle prolonge et elle transforme toutes mes sensibilités, sauf la sensibilité thermique. Je perçois, avec ma canne, des sensations que je n'obtiendrais pas avec ma main. Ma canne est une tige de résonance. C'est une antenne facultative, une antenne amovible, qui ne souffre pas et que l'on remplace en cas d'accident. Notre civilisation est quand même plus astucieuse que celle des insectes... Je ne comprends pas comment un homme intelligent, d'esprit investigateur, peut se passer d'un bâton. Quant aux poches, normalement, avec mon pardessus, j'en ai vingt-trois, pas une de moins. Et toutes ont un usage précis. La poche est un réservoir non spécialisé, c'est un réservoir délivré de la servitude du sphincter. On ne peut pas mettre n'importe quoi dans nos réservoirs naturels : l'estomac, la vessie, l'ampoule rectale ; et ils sont terriblement soumis à nos émotions. La poche est admirablement libérée des émotions. Une preuve manifeste de l'infériorité des femmes, c'est l'absence de poches dans leur accoutrement. »

M. Rohner n'est pas féministe. Il est veuf depuis quatre ou cinq ans. Il ne parle presque jamais de sa femme, sinon avec beaucoup de réserve et brièvement.

Il ne porte aucune décoration, bien qu'il soit,

m'a-t-on dit, officier de la Légion d'honneur. Cette simplicité m'a fait réfléchir. J'ai eu la chance un peu choquante d'être décoré, à vingt-six ans, dans les circonstances que tu sais. Je répudie ces signaux ostentatoires. A l'exemple de M. Rohner, je me présenterai désormais avec une boutonnière nette.

Le professeur Nicolas Rohner est un travailleur exemplaire. Il possède une faculté d'application qu'on ne peut pas ne point lui envier. Il est capable de fixer son attention pendant huit ou dix heures de suite, ce qui me semble prodigieux. Il sait se reposer, aptitude non moins remarquable : il joue aux cartes ou fait des patiences. Il l'avoue et même il en recommande la pratique. Il dit : « Quand je joue aux cartes, je suis à peu près sûr de ne pas penser à autre chose. »

Il est enfin d'une économie très vétilleuse, vertu que je ferai tout le possible pour comprendre et priser.

J'essaie, tu le vois, de composer un portrait. Ce n'est pas facile, car, chaque jour, j'apprends à mieux connaître l'homme et de nouveaux traits paraissent qui m'inclinent à corriger tous mes croquis antérieurs.

Notre garçon de laboratoire est resté deux jours absent parce que sa femme accouchait et que ce n'allait pas très bien. M. Rohner a grondé :

— C'est, paraît-il, une présentation de la face. Mauvaise présentation. Pour bien passer, pour aller vite, l'enfant doit foncer en avant, tête basse, comme le nageur agile, comme l'homme dans la vie.

J'ai pris quelque temps pour digérer cette sentence. Au début, je la trouvais brutale. Par la suite, elle m'a séduit. Et là, je dois te confesser un scrupule. Je t'ai dit que M. Rohner a des yeux d'un bleu pâle, des yeux azur Ile-de-France qui me rappellent parfois le regard de mon père. Eh bien! dans certains de ses propos, il me semble que le professeur Rohner s'exprime comme le ferait mon frère Joseph, si toutefois Joseph était mille fois plus instruit qu'il ne l'est. Or, ce qui, chez Joseph, me déconcerte et me révolte, me devient, chez M. Rohner, thème d'étonnement et d'admiration. Je vois là, cher Justin, un effet de la culture et du génie. La dureté de Joseph, tempérée d'humanisme et de philosophie, deviendrait peut-être de la vigueur, de la grandeur. Mais Joseph est mon frère. On ne peut rien passer aux siens : ils nous entrouvrent et nous éclairent le fond de nos propres abîmes.

Tu le vois, M. Rohner n'est pas un esprit tout en nuances et en finesses comme M. Chalgrin. C'est une nature fortement constituée, probablement plus robuste que celle de mon bon patron.

M. Rohner était au travail, hier soir, et j'étais allé chez lui pour lui demander un conseil quand, sans répondre à ma question, il m'a dit, tout à trac : « Les tentations de trahir le rationalisme, de nous en détourner, même par la pensée, même une seconde, sont des pièges qu'ils nous faut éviter avec rigueur. J'ai lu la communication que vous avez bien voulu me confier. Vous y citez les phrases par lesquelles Charles Richet termine son ouvrage sur l'anaphylaxie, ces phrases qui, malgré tout, laissent la porte ouverte au finalisme. C'est une citation fâcheuse. Richet est un savant de grande valeur, mais s'il commence à déraisonner, il faut tout de suite le planter là. Cette idée que l'espèce pourrait marquer sa volonté de refuser toute modification par les substances étrangères... Cette volonté de l'espèce de se gouverner d'une certaine façon en sacrifiant au besoin les individus, c'est une vue d'idéologue. Attention, monsieur Pasquier! Nous n'avons qu'un instrument sûr, fidèle et maniable : notre raison. Le reste est faillible, dérisoire, aveugle. Le reste nous ramène à la barbarie tâtonnante. Alors, pas de compromis. Tout se doit expliquer, pour nous autres hommes, par la raison et seulement par la raison. Vous me comprenez bien : s'il y a d'autres explications, je ne veux même pas les entendre, je les abandonne à la méditation des mollusques, des annélides et autres animaux inférieurs. Ces explications ont abusé les hommes pendant quatre ou cinq mille ans. Nous sommes enfin délivrés, nous autres, les responsables. Alors, pas de chicanes et pas d'atermoiements! Celui qui, dans les conditions actuelles de la science, ne marche pas bien droit en regardant le but risque encore de tout compromettre. Appelez-le, selon les cas, traître, lâche ou imbécile. »

Quelle froide passion! Quelle voix incisive, acérée! J'étais non pas ébranlé, mais à peu près convaincu. Malgré la moustache et la mouche, M. Rohner ressemble à Robespierre. J'imagine que l'incorruptible devait parler ainsi, de cette même voix obstinée, glacée, qui jamais ne monte d'un ton et ne déraille jamais. Il doit d'ailleurs être doué d'une grande perspicacité, car, en ce moment, je ne cesse de penser aux problèmes du rationalisme dans l'époque moderne, et, juste, il me touche au vif.

L'arrivée de M. Roux a brusquement interrompu notre entretien. Tu as vu M. Roux sur les gravures des illustrés. Quelle figure déconcertante! L'austérité, la maigreur ascétique de cette figure! Il n'a pas encore soixante ans, je pense. Il porte les cheveux ras, arrondis sur le front, une barbiche semblable à celle des huguenots du XVIe siècle ; on l'imaginerait sans peine avec une fraise au col. Il n'a pas de fraise, mais un épais cache-nez de pion. Ses vêtements sont noirs et plus que modestes. Il porte de gros souliers, des croquenots de vicaire. Je le vois souvent, chez l'économe, où il monte la garde une partie du jour, surveillant ce qui se passe, les gens qui entrent, les gens qui sortent. Quel regard vigilant! Je suis allé, l'autre semaine, lui porter un dossier, dans son cabinet de travail. Il se tenait devant une table toute nue, longue d'un mètre, large d'une coudée. Il était assis sur une chaise de paille, les pieds posés sur un petit tapis-brosse à trois francs. On se serait cru dans le parloir d'une congrégation pauvre. Je ne te cacherai pas que j'en demeure frappé d'un respect glacial. J'étais dans l'antichambre même de la science : la science du XIXᵉ siècle, inflexible, sincère et chaste.

M. Roux et M. Rohner ont commencé de parler. Je devinais qu'il était question du congrès des sciences biologiques dont les travaux commenceront à Paris, vers la fin de l'hiver. M. Rohner disait :

— Vous n'avez pas accepté la présidence et je le regrette, car tout s'en trouverait simplifié. Pour le discours, je vais réfléchir. Permettez-moi de réfléchir. Je n'aime pas à partager les responsabilités...

Les deux interlocuteurs se sont éloignés sur ces mots, en sorte que je n'ai pas entendu la fin de l'entretien. Je suis retourné dans le grand laboratoire. J'ai travaillé avec Mᵐᵉ Houdoire, cette jeune femme dont je t'ai parlé dans une de mes lettres et qui remplit ici des fonctions de laborantine, comme dit Sternovitch. Elle est d'excellente famille. Elle n'a pu, malheureusement, faire des études régulières. Elle a été mariée, quelques mois, puis son mari l'a quittée pour je ne sais quelle aventure. Elle a dû se chercher une place. Elle s'occupe des cultures et des étuves, elle prend la température des animaux, fait parfois les piqûres, tient les registres. Elle est dévouée, muette et triste. Cheveux très noirs et peau mate. De beaux yeux voilés, pleins de mélancolie. Elle me plaît beaucoup. Ne va pas imaginer quelque amourette. Non, une franche sympathie humaine, colorée d'un peu de tendresse. J'ai dit : « muette », parce que Mᵐᵉ Houdoire ne parle guère. Mais, quand elle s'y trouve obligée, elle fait entendre une belle voix de contralto, vibrante et poignante comme un violon dans le grave.

Tu le vois, je fais en sorte de te peindre ce monde qui m'entoure. Que cette manière de parler ne te donne pas à croire que je me considère comme le centre de quoi que ce soit. Non, non, je me sens devenir modeste, oui, modeste avec frénésie. Tout orgueil me fait horreur.

M. Rohner a traversé le grand laboratoire avec M. Roux et l'a reconduit jusqu'à la porte. Puis il est revenu vers moi, l'air soucieux. Il faisait craquer les articulations de ses doigts. C'est un bruit qui m'est pénible. Il m'a dit :

— Vous connaissez M. Schleiter ?

— Oui, monsieur, j'ai travaillé naguère avec lui chez M. Dastre.

— Vous allez avoir le plaisir de le rencontrer. Il fait une enquête à l'Institut, une enquête demandée par son ministère. Il doit être à l'étage au-dessous. Nous aurons sa visite dans deux ou trois minutes.

M. Rohner a fait un rire sec et il a poursuivi :

— C'est chez Dastre que M. Schleiter a fait sa thèse, autrefois, sur les graisses phosphorées dans les œufs d'oiseaux. Je me rappelle très bien. Excellent ouvrage. Depuis, M. Schleiter est tombé dans la politique. Nous entendrons parler de lui. Que M. Schleiter ne laisse pas trop de regrets à ses anciens collègues et maîtres! Quand un homme de bonne culture se tourne vers la politique, c'est qu'il est inutilisable dans la profession qu'il avait semblé choisir, c'est qu'il n'est plus bon à rien. L'État est gouverné par le rebut de toutes les carrières honorables.

Les yeux de M. Rohner lançaient des flammes pâles. Il serrait un peu les dents et cela me déconcertait plus encore que le sens de ses paroles. Il a poursuivi, avec une sorte de rage :

— Notez-le, Pasquier, je parle ici des gens qui

ont quand même une culture fondamentale. Mais les autres! Quelle misère! On ne devrait pas laisser les hommes sans instruction parvenir aux magistratures de l'État. Il devrait y avoir des études et des concours. Au fond, le peuple méprise la culture, car il voit qu'elle n'est pas nécessaire pour occuper les plus hautes places ; il comprend que l'on peut s'en passer. Ainsi le pouvoir tombe aux mains les moins dignes. Malheureusement, les gens qui aiment leur métier et l'exercent avec talent n'acceptent pas de le quitter pour devenir les valets de la racaille électorale. Ce peuple sait bien qu'un homme pris au hasard ne peut pas, en quatre ou cinq mois, et pas même en quatre ou cinq ans, devenir un savant, un chirurgien, un artiste. Mais il sait que le premier venu peut, grâce à la politique, s'asseoir un jour ou l'autre dans le fauteuil des maîtres et qu'une fois dans ce fauteuil il pourra se faire obéir non seulement des valets, mais des savants aussi, des chirurgiens, des professeurs, des généraux, des artistes, de ceux qui ont donné leur vie pour apprendre à connaître quelque chose et à faire correctement un travail déterminé. Tout cela n'est pas fort gai.

Ces propos m'ont laissé perplexe. Je sais que M. Rohner fréquente les couloirs des ministères et qu'il tourmente les hommes politiques d'une foule de requêtes et de récriminations. Alors ?

M. Rohner aurait peut-être continué sur ce ton ; à ce moment, Léon Schleiter est entré. Voilà deux ans qu'il a quitté la Sorbonne. Il est en congé. Il saisit toutes les occasions de revenir voir ses anciens camarades. Je ne sais si c'est par nostalgie ou pour se faire admirer.

Il est toujours aussi noir, aussi maigre et funèbre. N'importe! Je ne l'ai pas retrouvé sans un certain plaisir. Nous avons causé de la Sorbonne, de sa visite au Désert, l'an passé, de nos condisciples et maîtres. Puis il a parlé politique. Il est chef du cabinet de Viviani. Il est beaucoup plus à gauche que son patron, beaucoup plus à gauche que Jaurès et Guesde, ses marabouts. Il campe dans l'antichambre des ministres, mais c'est pour y attendre et y préparer la révolution. Il est tombé tout de suite dans l'esprit « patronage révolutionnaire ». Il parle de la révolution comme les autres parlent du Bon Dieu, avec une componction savonnée, juteuse.

Il est parti. M. Rohner s'est calmé. Nous avons retrouvé et j'ai goûté de nouveau cette sérénité olympienne dont je crois t'avoir entretenu dès le début de ma lettre.

Tu vois que ma vie est paisible. Une chose, une seule, a pu m'indisposer ces jours derniers. Sénac est venu me voir à l'Institut où il n'a que faire. Il n'en finissait pas de s'en aller.

Sénac est un extravagant. Que je te le dise pendant que j'y pense : toutes les insinuations de l'autre jour sont dépourvues de sens et de substance. M. Rohner m'a dit, la semaine dernière : « Je viens de recevoir une lettre de M. Chalgrin. Oui, une lettre vraiment empressée. Il s'agissait d'un point de technique. Vous voudrez bien le remercier, je vous prie. » Il m'a semblé que le vent dispersait tous les nuages de mon ciel. J'en ai ressenti du plaisir.

Ton vieux copain fraternel, Laurent l'olympien.

15 octobre 1908.

CHAPITRE IX

SÉNAC NE CROIT À RIEN, PAS MÊME AU NÉANT.
UNE OPINION SUR LE MÉPRIS DES HONNEURS.
L'AMI DES CHATS. OÙ L'ANIMAL DEVINE LES PEN-
SÉES DES HOMMES. M. CHALGRIN EST INQUIET. UN
MÉMOIRE QUI DOIT RESTER SECRET. TROUBLANTE
COÏNCIDENCE. LA MASURE AU FOND DE L'IMPASSE.
ÉLOGE DE LA SOLITUDE. SÉNAC FAIT DES AVEUX.
SUR LA CURIOSITÉ SCIENTIFIQUE.

C'est vrai, Justin, j'ai l'air de négliger notre
correspondance et tu as raison de t'en plaindre.
Excuse-moi. Il se passe en ce moment, sous mes
yeux, un drame très obscur et dont j'ai beaucoup
de mal à débrouiller les origines et les péripéties.
Ma belle sérénité du mois d'octobre est en déroute.
Je vis d'inquiétude et d'appréhension.

Pour bien faire, il faut que je remonte à certain
entretien que j'ai eu, voici dix jours, avec Sénac.
Comme il s'agit d'événements pénibles, tu ne seras
pas trop étonné d'apprendre que Sénac s'y trouve
mêlé. J'allais écrire « compromis ». Je me suis retenu,
quand même.

J'étais à l'Institut, il y a dix jours environ, quand
Sénac est arrivé. Les cours et les travaux pratiques
allaient reprendre. Je préparais l'installation des
élèves. J'ai, comme tu peux l'imaginer, beaucoup

de travail. Quand Sénac vient me voir, c'est une heure au moins que je dois considérer comme sacrifiée. Et si, par malheur, il a bu, c'est alors pendant plus de deux heures qu'il me faut le supporter, le réconforter, le reconstruire. Ce jour-là, Sénac avait bu. Si je n'avais pu le distinguer à son regard, à son odeur, au tremblement de ses doigts, au timbre de ses nasales, à son articulation ruminante, je l'aurais senti sans faute à la nature de ses propos. Quand il est ivre, Sénac invective contre les ivrognes et il accuse d'ivrognerie tous ceux dont il a lieu de parler. Il a commencé par dauber sur Sternovitch :

— Il est raide quatre fois par semaine, rétamé jusqu'à l'orteil. C'est un juif russe et tout à fait russe par le schnick. Vraiment, la proportion d'alcooliques incurables, dans le peuple russe, est trop forte pour qu'on laisse la Russie jouer jamais un rôle notable dans la politique du monde. Hum ! Hum ! Je ne peux sentir les gens qui boivent.

Il rotait avec obstination et empestait tout le laboratoire. Alors il a commencé de se plaindre :

— Ma vie est loupée ; mais je n'ai pourtant pas envie de casser ma pipe. Ma vie est une torture. Laurent, tu peux me croire : je m'y connais. Ce qu'il y a d'abominable, c'est que j'aime encore mieux cela que rien du tout. J'irai sans doute en enfer, comme disent les bonnes âmes. L'enfer, c'est toujours quelque chose : c'est quand même une forme de l'éternité. J'aime encore mieux l'enfer que le néant. L'enfer, c'est la vie qui dure. D'ailleurs, si tu veux que je te le dise, je ne crois ni à l'enfer, ni à rien, et pas même au néant. Tu m'as bien entendu ? Je ne crois pas même au néant.

Ouf ! Quand Sénac est sur ce ton, j'ai besoin de toute ma patience. J'ai fait comme si je n'entendais rien et j'ai continué d'aller d'une table à l'autre. Ma blouse n'était pas boutonnée. Sénac me suivait, pas à pas, rotaillant toujours. Il a tiré le bord de ma blouse et il a gloussé, l'œil soudain brillant :

— Ah! Ah! tu ne portes plus ta décoration.

— Qu'est-ce que ça peut bien te faire ?

— Ça ne me fait rien, mais, d'ordinaire — je ne parle pas pour toi — c'est un symptôme : les gens qui ne portent pas leur décoration, c'est qu'ils attendent le grade supérieur et qu'ils ne sont pas contents de ne pas l'avoir reçu. Regarde Rohner, il ne porte plus son bouchon depuis que Chalgrin a décroché la cravate. Il n'y a pas à s'y tromper.

— Tais-toi, ai-je dit, soudain très en colère. Tu es incapable de comprendre qu'à certains moments de la vie on se sent pur, affranchi de tous les honneurs.

Sénac s'est pris à rire et s'est introduit le bout de l'index dans le nez. Il murmurait :

— Allons, tu n'es pas si naïf! Ceux qui refusent les honneurs sont encore les plus orgueilleux, les plus enragés de distinction. Ils réclament l'honneur de mépriser les honneurs. Oh! tu finiras par comprendre.

Et, tout à coup, sans transition, comme s'il profitait de mon humeur pour en venir aux questions essentielles :

— Écoute, Laurent, je ne suis pas allé chez le professeur Chalgrin, ce matin, et j'aime mieux te dire que je n'irai plus.

J'ai senti que ma colère changeait d'objet et de front, qu'elle se jetait d'un seul élan dans une direction nouvelle :

— Qu'est-ce que tu as fait encore ?

La phrase était dure et je pensais que Sénac allait accepter le combat, se défendre et contre-attaquer. Pas du tout. Il a baissé les yeux et il a dit, avec un sourire de sacristain :

— Non, je ne peux plus y retourner, à cause du chat.

Je pense t'avoir dit que, sur ma prière, M. Chalgrin a pris Sénac, au printemps dernier, comme secrétaire. Sénac sait taper à la machine. Il connaît la sténographie. Avant le Désert, il était, tu t'en souviens, secrétaire d'un politique, un bonhomme nommé Coualieux. Cette petite place, chez M. Chalgrin, c'était pour lui le pain assuré. M. Chalgrin écrit beaucoup. Il a besoin de quelqu'un pour lui tenir ses fiches, faire des recherches dans les bibliothèques, lire et classer les articles intéressants, recopier les manuscrits. C'est un travail agréable, non seulement parce que la société du patron est la plus vivante qui soit et même la plus nutritive, mais parce qu'il n'y a pas d'heures fixes. Rien d'une besogne de bureau. Beaucoup de jeu, beaucoup d'indépendance. Enfin tout ce qu'un gaillard comme Sénac pouvait rêver dans ses moments d'optimisme.

Il a repris, sans lever les yeux :

— Je n'ai rien fait. Je te dis que c'est à cause du chat. Je ne veux pas revoir ce chat.

— Quelles que soient tes raisons, je déclare qu'elles sont absurdes.

— Tu n'en sais rien. Moi, je les trouve excellentes.

Je m'étais assis sur le bord d'une paillasse et je jouais nerveusement avec ma règle de verre. Sénac était devant moi, comme un coupable. Il cherchait d'une main tâtonnante un tabouret d'élève, un tabouret bas sur lequel il s'est assis. Il pouvait, dans cette position, se dispenser de lever les yeux vers moi. Il regardait mon genou et il s'est mis à se tirer du fond de l'être des choses pitoyables, telles qu'il est sans doute le seul à pouvoir en inventer.

— Tu sais qu'il s'appelle Minos. Beau nom pour un chat. Et quand j'écrivais, à ma table, dans la bibliothèque, il venait tourner autour de moi, se frottait à mon pantalon, faisait toutes sortes de câlineries. Si bien que je finissais par le prendre sous les aisselles et par le hisser sur mes genoux.

Il restait là, très longtemps. Parfois même je l'oubliais. Parfois il ronronnait pour demander une caresse. Alors je lui grattais le crâne ou je lui passais le doigt sous la mâchoire. Si le doigt glisse un peu plus bas on sent la trachée-artère, grosse comme une plume d'oie, avec ses anneaux de cartilage.

Sénac s'est arrêté de parler et j'ai dû le pousser un peu : « Qu'est-ce que tout cela veut dire ?... Explique-toi... Je ne comprends pas... » Alors, il a continué :

— As-tu jamais tué un chat ? Non. Eh bien, tu n'es pas curieux. Tu sais que c'est très difficile. Il y en a qui les mettent dans des sacs et qui les tuent à coups de bâton. Le chat saute, siffle, hurle. C'est terrible. Il y en a qui les pendent. Et quand le chat est mort, tu ne peux imaginer comme il est long et lourd. Ah! non, ce n'est pas commode. Je sentais la trachée-artère... Avoue que c'est une tentation. Je me disais qu'en serrant... Seulement il faut une technique. J'entrevoyais une technique. Serrer tout l'arrière-train, fortement, entre les genoux, immobiliser d'une main les deux pattes de devant et, de l'autre, eh bien! se débrouiller avec la trachée-artère... Tu comprends, ce qui m'intéresse, Laurent, c'est la difficulté. Rien de plus. Étrangler un chat sans se faire griffer, reconnais que c'est un tour de force. Et alors, justement, comme j'étais sur le point d'accomplir... la chose... Je ne faisais qu'y penser, rien de plus, je n'avais même pas commencé à serrer les genoux. Je te répète que c'était seulement quelque chose comme un désir... Alors le chat Minos a poussé un cri terrible. Je ne l'avais même pas menacé, même pas serré. Il a poussé un cri effrayant et il m'a donné un très vilain coup de griffe. Là, vise mon poignet. Tout comme s'il avait pu deviner une pensée qui n'était pas très sûre, même pas très décidée. Et puis, il a fait un bond. Frrt! Il était sur la cheminée. Il me regardait, comme un homme aurait pu le faire. Et, pour finir, il est parti en haussant les épaules. Parole!

Nous connaissons bien Sénac. Et je dois pourtant t'avouer que cette confidence m'a jeté dans un affreux malaise. Je cherchais que lui répondre, quand il s'est repris à parler :

— Qu'est-ce qui serait arrivé, si j'avais tué cette bête? Qu'aurait dit Mme Chalgrin? Qu'aurait-on pensé de moi, si l'on m'avait vu paraître avec ce gibier dans la main?...

— Enfin, ai-je dit en levant les épaules, tu ne l'as quand même pas tué?

Sénac secouait la tête.

— C'est à peu près la même chose. Je ne retournerai plus chez Chalgrin. Tu comprends, je ne veux pas que cette bête me regarde encore. Je ne le supporterais pas.

Il avait l'air buté. J'avoue qu'il m'a fait pitié. J'allais, pour finir, le consoler, comme toujours. Mais il a pris son chapeau et il s'en est allé, le malheureux, en suçotant sa moustache noire. Et j'ai commencé de chercher où l'on pourrait bien le caser, car, enfin, il faut qu'il vive. Mon Dieu, que je suis bête! Je ne songeais qu'à cette ridicule et odieuse histoire de chat, à la situation perdue, à des bêtises, en somme.

Quelques jours ont passé dans ces menus ennuis. J'évitais de parler de Sénac à mon patron. Je songeais : « M. Chalgrin finira toujours bien par m'en dire quelque chose. »

Tout s'est d'abord passé comme je m'y attendais ; et j'ai senti presque tout de suite que le drame n'était pas simple. M. Chalgrin m'a demandé, mardi ou mercredi dernier :

— Votre ami Sénac est-il malade? Voilà près d'une semaine qu'il n'est pas venu travailler.

Les maîtres.

Faites-moi l'amitié, Pasquier, d'aller prendre des nouvelles.

Le patron, ce disant, avait l'air soucieux. Je voyais les fibres de ses paupières se contracter finement, ce qui, chez lui, je le sais, est un signe de fatigue. Il a soudain prononcé des mots incompréhensibles :

— Je mets M. Sénac hors de cause. Il est de vos amis, c'est une garantie suffisante. D'ailleurs, j'ai les trois copies.

Sentant que ces bouts de phrases restaient pour moi dépourvus de sens, le patron s'est ressaisi. Sa voix n'en tremblait pas moins d'émotion.

— Avez-vous lu, m'a-t-il dit, le dernier numéro de *La Presse médicale* ?

— Non, patron, pas encore.

M. Chalgrin semblait saisi d'hésitation. Il a fait un grand effort sur lui-même pour se contraindre au calme, et je crois qu'il a souri. Mais ce sourire était douloureux et m'a bouleversé. Alors, il a poursuivi plus bas :

— Vous connaissez sans doute, Pasquier, l'ouvrage de M. Rohner sur les *Origines de la Vie*, un livre dont on a beaucoup parlé pendant la dernière saison.

— Oui, patron, je le connais.

— Il y a des parties excellentes, dans cet ouvrage. On y trouve aussi des hypothèses fantaisistes, des affirmations aventurées. M. Rohner abuse de la dialectique rationnelle et il finit par tomber dans l'idéologie, ce qui ne va pas sans ridicule pour un avocat réputé de l'expérimentation stricte. Rappelez-vous, Pasquier, le grand laïus de la préface : « Chaque fois que se trouveront rassemblés, dans les proportions requises, le carbone, l'azote, l'oxygène, l'hydrogène, le soufre et les quelques éléments accessoires, chaque fois que les conditions physiques nécessaires à la synthèse des albumines vivantes se trouveront reconstituées, les phénomènes de la vie, ces phénomènes qu'il nous est encore impossible de déterminer avec exactitude mais que nous déterminerons un jour prochain, ces phénomènes, dis-je, recommenceront d'apparaître et de se développer, de modifier le milieu nutritif et de produire des organismes soumis à toutes les lois de l'évolution progressive ou régressive par mutations ou variations brusques des caractères spécifiques... » Oh! je cite de mémoire. Le texte est assurément meilleur : M. Rohner est un excellent écrivain. Eh bien, toutes ces propositions, qui ont produit beaucoup d'effet, sont d'un esprit systématique...

M. Chalgrin s'est arrêté de parler pendant une longue minute. Je ne devinais pas du tout le sens de ce soliloque. Je ne voyais surtout pas le rapport entre cette diatribe et les petites histoires de Sénac. Je doutais même qu'il y eût le moindre rapport. D'une voix plus basse, plus réticente, le patron s'est remis à parler :

— Je n'aime pas l'ouvrage de M. Rohner. Soyez persuadé, mon ami, que je me suis gardé de lui en rien dire. Je crois même lui avoir écrit une lettre des plus élogieuses. Je n'en réservais pas moins mon indépendance critique : M. Rohner est de ces biologistes gâtés par la contagion mathématicienne. M. Rohner, avec son rigorisme, est de ces rêveurs qui s'imaginent qu'un jour ils feront passer dans un tube de l'hydrogène, du carbone et le reste de la recette, qu'ils mettront le tube à l'étuve et que, vingt-quatre heures après, ils trouveront dans leur cuisine quelque chose qui sera très exactement l'hématozoaire de Laveran ou peut-être, qui sait? sa majesté le bacille de Koch en personne. Ces messieurs sont très sérieux, mais il y a de quoi rire... C'est un retour offensif et scientifiquement moderne de la génération spontanée. Imaginez-vous, Pasquier, que j'ai rédigé, pendant l'automne, à propos du livre de M. Rohner, un mémoire que je n'ai pas la moindre intention de publier. Je ne suis pas un polémiste. C'est pour moi, pour moi seul, que j'ai composé ce mémoire, pour la satisfaction de ma conscience. Et je n'en parle à personne. Voilà justement pourquoi je ne comprends pas le ton de cet article de M. Rohner dans le dernier numéro de *La Presse médicale*.

Comme le patron ne se décidait pas à s'exprimer plus clairement, j'ai pris sur moi de lui dire, avec beaucoup de respect :

— Monsieur, je ne comprends pas.

— Évidemment, vous ne pouvez pas comprendre. Croyez bien, mon bon ami, que si je vous parle, à vous, en particulier à vous, de cette pénible affaire, ce n'est pas seulement par amitié ; c'est parce que vous connaissez M. Sénac, parce qu'il est de vos amis et, je crois, depuis longtemps. Je dois vous dire, Pasquier, que j'ai fait copier le manuscrit de mon texte par M. Sénac, en trois exemplaires.

Le patron venait encore une fois de s'arrêter. Avec la pointe du médius, il s'écrasait la lèvre supérieure, ce qui est, chez lui, signe de grande perplexité. J'écoutais, plein d'angoisse.

— Attendez, Pasquier, Attendez, mon ami. M. Sénac a fait cette copie à la maison. En trois exemplaires, je vous l'ai dit. Les trois exemplaires sont entre mes mains et ils n'en sont point sortis. Ils n'en sortiront qu'après ma mort, si même il ne m'arrive pas de les détruire avant. Vous le voyez, je suis sur une fausse piste. M. Sénac est hors de cause et j'aurais mieux fait de ne pas prononcer son nom. Reconnaissez quand même que la conjoncture est troublante. Dans ce fameux article de *La Presse médicale*, M. Rohner répond à toutes mes critiques. Il ne saurait me mettre en cause, puisque je n'ai rien publié, mais il imagine un contradicteur idéal auquel il prête des pensées et des paroles qui sont les miennes, termes pour termes. Je suis provisoirement seul à comprendre ce qu'il y a de blessant dans cette manœuvre et de venimeux dans cette rhétorique.

Le professeur Chalgrin, petit à petit, s'échauffait à parler ainsi. Mais il ne rougissait pas, tout au contraire. De grandes plaques couleur d'os se formaient sur ses joues et sur son front. Oui, je dis bien, il semblait que l'on aperçut à travers la peau diaphane, la substance élémentaire, minérale, de l'armature. J'ai murmuré :

— Patron, Jean-Paul Sénac est un honnête homme. Je ne crois même pas que l'on pourrait lui reprocher une distraction, une légèreté dans une affaire aussi grave.

M. Chalgrin, ressaisi de soi-même, a souri, non sans grâce :

— Mais oui, je n'en doute pas. Surtout, Pasquier, faites-moi l'amitié de n'aller pas vous mettre martel en tête. Je cherche, et je songe à tout. Car la coïncidence est un peu plus que troublante. Allons, mon ami, travaillons. Savoir quelque chose, au fond, c'est notre seul recours contre le désespoir et l'anéantissement.

Je peux bien t'affirmer que je me trouvais très loin de cette sagesse reconquise. Au moment même où j'avais pris la défense de Sénac, je m'étais senti tourmenté par de très affreux soupçons. J'ai travaillé, mollement. Après le déjeuner, j'ai gagné l'Institut et j'ai fait des pieds et des mains pour ne pas rencontrer M. Rohner. Vers six heures, j'ai pris le tramway et je suis allé chez Sénac.

Il était là.

Je te l'ai dit, c'est au fond d'une impasse pavée. A l'entrée, il y a des ateliers de menuiserie qui dégagent une odeur funéraire de sciure et de sapin frais. Puis un marchand de chevaux, puis un marbrier, puis des écuries sans locataires, puis un terrain vague, enfin la masure de Sénac. En y parvenant, je ne pouvais m'empêcher de penser que ce goût de l'isolement est quand même le signe d'un caractère anormal.

Avant même de frapper, je me suis trouvé salué par un concert d'aboiements. Je m'attendais à revoir Mignon-Mignard, l'ineffable chien du Désert. Il n'était pas seul. Sénac, la porte entrouverte, m'a prié de faire attention à son nouveau pensionnaire, une sorte de berger allemand d'allure famélique et dont l'un des yeux, bleu faïence, semble recouvert d'une taie laiteuse. L'animal, paraît-il, n'est ni franc ni commode.

Je me suis assis sur le divan dont Sénac doit faire son lit. Il est très proche du sol et je me sentais soudain dans une posture incommode.

— Tu vois, m'a dit Sénac, ici, c'est vraiment la solitude. Ici, Laurent, c'est le comble du Désert, c'est bièvrissime! Tu me comprends. Quelquefois, le soir, en faisant cuire notre soupe, car nous mangeons tous la même chose, les cabots, le pigeon et moi, je me dis avec délice que personne au monde n'a la moindre raison de penser à moi. Quelle admirable légèreté! Quelle délivrance! Dès que les chiens sont endormis, je sens mes oreilles qui chantent. Oui, c'est l'hymne vibrant au silence absolu. Je songe qu'il y a des gens qui écoutent respirer leur gosse ou tourner leur usine, des gens qui savent qu'on va les appeler et leur demander quelque chose, un service, un conseil. Pff... Je suis magnifiquement pur. Ma montre même est arrêtée. Je ne la remonte plus pour qu'elle me foute la paix.

J'avais envie de lui dire : « Tu vois que moi, je pense à toi. N'as-tu rien fait, Jean-Paul, pour me forcer à penser à toi ? » Je me suis contenu de mon mieux et j'ai dit, d'une voix très ferme :

— Il faut que tu reprennes au plus tôt ton travail chez le professeur Chalgrin.

Sénac a levé les sourcils et comme nous étions éclairés par une petite lampe à pétrole posée sur la table de nuit et que Sénac était debout, cette mimique a dessiné sur son visage toutes sortes d'ombres fantastiques.

— Tu m'entends? ai-je dit encore. Je te prie de retourner travailler chez M. Chalgrin.

Je n'attendais de Jean-Paul Sénac aucun mouvement de colère. Il se met rarement en colère. Il gronde, il grommelle, il bavote et se lamente. Au contraire de tout cela, voilà qu'il s'est pris à rire.

— Ah! non. Ah! non, disait-il, nous ne sommes plus au Désert. La discipline, c'est fini. La caserne, on n'en parle plus, mon petit père.

— Sénac, ai-je dit, je te demande comme un service personnel de retourner chez M. Chalgrin.

— Un service personnel? Et pourquoi?

Il parlait si paisiblement, il semblait de si bonne foi que j'hésitais à me lancer dans le vif de l'affaire. Je m'y suis décidé quand même.

— Figure-toi, mon pauvre Jean-Paul, que M. Chalgrin a bien des raisons de penser qu'un travail qu'il souhaitait de ne point faire connaître s'est trouvé, je ne sais comment, communiqué à certains de ses adversaires. La meilleure, la seule façon de lui prouver que tu n'es pour rien dans cette espèce de trahison, c'est de retourner chez lui, malgré l'histoire du chat, et quand bien même tu devrais faire un effort très désagréable. Tu me comprends, Sénac?

Il écoutait, sans rien dire. Je me rappelais cette visite que nous lui avons rendue, l'année dernière, à Bièvres, quand on avait volé le vin et que nous voulions le confondre, car nous pensions que c'était lui. Souviens-toi : il avait pleuré. Nous étions désespérés. Nous lui faisions des excuses. Et, pour finir, il a triomphé, puisque la coupable, en définitive, était la femme de ménage, l'effrayante mère Clovis. Je m'attendais à voir Sénac pleurer dans sa moustache et m'accabler de reproches. Mais non, il a pris un air sournois. Il bredouillait :

— Qu'est-ce que c'est que ce baroufle ?

— Oh! ai-je dit de bon cœur, je sais que tu es hors de cause. M. Chalgrin me l'a donné à entendre. Il possède les trois copies que tu as faites en sa présence. Mais, si tu le quittes maintenant, avoue que toutes les suppositions restent possibles. Il ne faut point le quitter.

Alors Sénac s'est pris à rire. Je ne pouvais pas m'y attendre. Il a ri si longuement que les chiens ont aboyé. Il faisait froid, dans cette masure. C'était réellement une minute déplaisante.

— Trois copies! disait Sénac. Eh bien, si tu veux le savoir, j'en ai fait une quatrième. Seulement, garde cela pour toi. Les savants, qui savent tout, ne sont pas observateurs. M. Chalgrin a l'air de regarder les choses et les gens. En réalité, M. Chalgrin ne voit rien. Quatre copies, voilà ce que j'ai fait.

J'ai cru que j'allais bondir sur le malheureux, le saisir aux épaules, le secouer, le battre.

— Alors, c'est toi! c'est donc toi! Est-ce possible ? Et pourquoi ? Je me demande pourquoi.

J'étais si peu maître de moi que les chiens se sont mis à gronder. Mignon-Mignard, que je te le dise tout de suite, ne m'a même pas reconnu. Quant à l'autre, c'est un fauve, un fauve qui ne mange pas à sa faim. Sénac a levé la main, paume en dessous :

— Attention! Tu vas te faire mordre.

— Mais pourquoi, je te le demande, pourquoi as-tu fait cela ?

Alors Sénac, avec beaucoup de naturel :

— Pourquoi ? Mais, tout naturellement, pour voir... Vous autres, vous n'êtes pas curieux.

— Comprends-tu que c'est beaucoup plus grave qu'un vol? C'est quelque chose comme un crime!

Il se promenait dans la turne, ses deux mains dans les poches de son pantalon, les épaules remontées, l'air obstiné, le regard au sol. Les deux cabots le suivaient.

— Oh! n'abusons pas des grands mots. Moi, j'aime les expériences. Moi, je suis plus curieux que vous autres. Un vol! Un crime! Il ne serait pas question de tout cela si tu ne t'en étais pas mêlé.

J'ai fait de mon mieux pour garder le silence et retrouver le calme. Sénac marchait toujours de long en large et son ombre se baladait sur les murailles. J'ai fini par dire, à voix basse :

— C'est affreux. C'est inqualifiable. Mais ça ne fait rien, Sénac, tu ne peux pas, pour le moment, quitter M. Chalgrin sans signer cette saloperie. Alors, tu vas revenir, et rester, jusqu'à nouvel ordre. Tu le feras, quand ce ne serait que pour moi.

Sénac a repris sa voix plaintive. Il gémissait :

— Quand ce ne serait que pour toi! Vous êtes tous les mêmes : vous ne pensez qu'à vous. L'égoïsme, voilà votre règle de conduite.

Il a continué sur ce thème, quelque temps, d'un ton morose et sentencieux. Je ne le lâchais pas et nous avons pris rendez-vous. J'ai quitté l'affreux ermitage bien plus soucieux qu'à mon arrivée. Les chiens m'aboyaient aux chausses.

En redescendant la rue de la Tombe-Issoire, j'essayais de comprendre la conduite de Sénac et j'en étais presque malade. Car, en somme, aucun doute possible : il a dérobé l'une des copies du mémoire de M. Chalgrin et il l'a communiquée à qui tu sais. Et il n'a pas fait cela pour de l'argent ou pour une ambition personnelle. Il a fait cela « pour voir ».

Je ne te dis rien de plus. Je suis très las, presque accablé. Oh! je devrais repousser Sénac du pied, me détourner de lui avec horreur. Je ne peux pas. Je ne peux plus. Je suis presque son complice et je n'ai qu'une façon d'arranger les choses, c'est de surveiller le misérable, de ne pas le quitter de l'œil.

Enfin, je l'avoue bien bas : il me fait encore pitié. Je ne peux pas l'abandonner dans l'état de... maladie où je le vois aujourd'hui. Je viens d'écrire maladie ; ma première pensée, un peu romantique, avait été d'écrire : dans l'état de péché mortel.

Ton Laurent.

17 novembre.

CHAPITRE X

APOSTROPHE À L'AMI JUIF. JUSTIN SOUHAITE RECE-
VOIR DES NOUVELLES DE LA FAMILLE PASQUIER.
UNE FORME ÉLÉMENTAIRE DU TOURMENT MÉTA-
PHYSIQUE. POUR DONNER DE LA BRANCHE AUX
CHEVAUX FATIGUÉS. LAURENT TOUCHE LE MUR.
PEUT-ON S'ASSEOIR SUR DEUX CHAISES ? FORMATION
D'UN COMITÉ DE PATRONAGE. CLARTÉS SUR UNE
VIEILLE ANIMADVERSION. IL N'Y A PAS DE QUE-
RELLES D'IDÉES. PRÉLUDE AU CONGRÈS DES SCIENCES
BIOLOGIQUES. DEUX HOMMES QUI CHERCHENT LA
VÉRITÉ.

Justin, mon ami, tu ne mérites pas ton nom, tu
n'es pas juste. Tu me pries, dans ta dernière lettre,
de ne plus te parler des juifs. Tu dis : « Je sais que
tu m'aimes, je sais que tu nous aimes. Pourtant,
je préfère le silence. Tu n'arrives quand même pas
à oublier que je suis juif. » Eh ! cher Justin, comment
pourrait-on l'oublier ? Êtes-vous si parfaitement
invisibles qu'il soit facile de ne pas vous voir ?
Êtes-vous des personnes si miraculeusement silen-
cieuses qu'on puisse ne pas vous entendre ? Si je
parle de toi, de vous, et même, ajouterai-je, d'eux,
tu te prends à gémir. Mais si je ne disais plus
rien d'eux, de vous et de toi-même, tu pousserais
bien d'autres cris. Alors, laisse-moi vivre et deviser

librement. Et s'il te prend fantaisie, dans cette franche correspondance, de dire quoi que ce soit des « goyim », sois sûr que je prêterai l'oreille. Je ne suis pas très inquiet : tu ne diras rien de nous en tant que « nous ». Vous n'avez pas encore fini, vous autres juifs, de vous étonner vous-mêmes et parfois de nous inviter, parfois même de nous contraindre, à partager cet étonnement.

J'ai le sentiment que tout ce que je répands dans mes lettres ne t'est pas de grand prix, que tu me souhaiterais m'entendre parler non de mes modestes soucis, mais des grands problèmes qui tracassent l'Europe. Hélas! Justin, tu es un idéologue, un sociologue et un prophète. Moi, je me débats au milieu de difficultés humaines qui me cachent parfois les éclatantes perspectives intellectuelles ou politiques dans lesquelles ton esprit se promène avec une si belle agilité. La tension entre le kaiser et l'Angleterre, la visite faite au tsar par le prince héritier de Serbie, voilà des phénomènes graves, je suis bien de ton avis. A te lire, je me sens un peu honteux de te narrer seulement, et avec tant d'application, une querelle plus ou moins sourde entre deux honorables savants de laboratoire.

Je te remercie de l'intérêt affectueux que tu portes aux miens et de la sollicitude avec laquelle tu me réclames de leurs nouvelles. Je jure, dans chaque lettre, de ne plus parler de ma famille, de laisser retomber dans le néant les misérables histoires de Joseph ou de Ferdinand et, dans chacune de tes réponses, tu m'interroges et tu me presses de ne rien te laisser ignorer. C'est bon. Je ferai de mon mieux pour te satisfaire.

Comme tu l'imagines, j'ai gardé soigneusement pour moi ce que m'avait conté M. Mairesse-Miral. Je plains trop les gens qui, d'une manière quelconque, dépendent d'un gaillard comme Joseph. J'ai résorbé ma colère et je n'ai rien dit. Joseph jouit de l'impunité exceptionnelle dont jouissent partout les effrontés. Il a cessé de parler de sa ruine. Quand je le vois — je ne peux guère ne pas le voir, à cause de maman — il se répand en lamentations sur les épreuves épouvantables qu'il a dû subir et sur la peine qu'il prend pour remonter la pente. Il pousse des soupirs et combine des jeux de rides pour exprimer son épuisement. Pense donc! Il était ruiné. Il avait tout perdu. On allait le pousser au ruisseau avec les balayures et les vieux mégots. Et nous, les imbéciles, nous écoutions ces doléances d'un cœur compatissant et nous grattions le fond de nos poches. Et puis, tout s'arrange. Grâce à notre aide opportune, le colosse redresse les reins. Joseph a dit au dernier déjeuner de famille : « La finance, voilà ce que c'est. Une gorgée de rhum, ce n'est pas grand-chose, mais avalée au bon moment, ça peut vous sauver un bonhomme. » La gorgée de rhum, c'est nous, les imbéciles, qui l'avons cordialement versée. Ferdinand qui d'ordinaire est terrible pour Joseph vit maintenant dans la béatitude : Joseph se l'est attaché pour longtemps. Au lieu de l'éblouir, il lui a demandé un service. Ferdinand en exulte. Il est le sauveur, l'ange gardien, le dieu de la machine. Il dit : « Heureusement que nous étions là! Je commence à croire que nous arrangerons les affaires de Joseph. »

Mais Joseph est déjà loin. Il nous a joué — il s'est peut-être joué à lui-même — une farce violente, dans sa couleur favorite. Et, pour lui, c'est fini. D'autres travaux, d'autres comédies l'appellent. J'ai dû pourtant lui parler des trois mille francs de papa. Car ces trois mille francs devaient avoir une tout autre destination.

Tu sais que mon père a plus de soixante-deux ans. Tu le connais, c'est la vie même. Non pas la vie sage et patiente, mais la vie folle, véhémente et capricieuse. Il n'a presque jamais trois mille francs devant lui. Il ne peut pas. Quelque chose, en lui, s'oppose à l'accumulation paisible d'une somme de cette importance. Toute sa puissance est centrifuge. Il faut qu'il disperse, qu'il éparpille, qu'il risque et qu'il perde. Or, il était arrivé quand même à rassembler une somme de trois mille francs. Dans quel dessein ? Cherche. Je te mets au défi de trouver.

Lui qui ne songe qu'à « poitriner », à jouir, à bouger, à vivre, il est, depuis quelque temps, saisi d'une idée opiniâtre. Et pourtant... Il a deux ou trois faux ménages. Il fait feu des quatre pieds. Il se signale chaque semaine par une engueulade publique, un scandale, une émeute. Il change tous les deux ans d'appartement et d'horizon. Il a le jarret frémissant, l'encolure cambrée, la moustache crépitante. Il dit : « Jamais fatigué. Je vivrai cent ans, pour le moins. » Et, tout de suite, il se met à parler du théâtre, dont il raffole, des chanteuses, des danseuses, des courtisanes célèbres. Il chante, d'une voix de tête, les opéras de son temps. Il donne la réplique à Suzanne quand elle répète ses pièces, et seulement dans les rôles d'amoureux, il n'en voudrait pas jouer d'autres. Il fait la cour à ses belles-filles qui ne le détestent pas et, s'il leur donne un baiser, il s'arrange, instinctivement, pour le glisser sur les yeux, près des lèvres ou à la naissance du cou... Eh bien, cet homme fringant songe obstinément à se faire construire un tombeau. C'est en vue de ce tombeau qu'il avait, non sans mal, économisé les trois mille francs. Il a déjà fait achat de la concession, au cimetière de Nesles, car il veut reposer, plus tard, dans le village de ses pères.

J'ai su, par maman, où ils en étaient de cette affaire. Ils ont des plans, un architecte. Voilà, cher Justin, la grande entreprise qui va peut-être les réunir après tant de trahisons, de conflits et de drames. Maman parle du « tombeau » comme d'une maison de campagne. A l'entendre, j'ai soudainement compris les mystères de l'ancienne Égypte, j'ai compris que la mort oriente et gouverne toutes les actions de la vie. La métaphysique est une occupation bourgeoise, aristocratique. Je peux m'y adonner quand le vent m'y pousse. Mais papa n'a pas eu le temps. Il était tout occupé de s'élever et de combattre, de s'instruire et de chercher pâture. Et voilà que, tout à coup, la métaphysique prend cette étrange revanche. Ce goût, ce besoin d'un tombeau, chez un homme aussi vivant, c'est une forme élémentaire du tourment métaphysique.

J'ai senti que papa ne renoncerait pas facilement à son rêve égyptien et je suis intervenu, très durement, l'autre jour. J'ai pris Joseph dans un coin et je lui ai dit, les yeux dans les yeux :

— Moi, je ne te demanderai rien, jamais rien, tu m'entends ? Mais ces trois mille francs des parents, il faudra quand même les rendre. Il faudra, Joseph ! Il faudra !

Joseph a mis la main sur sa poitrine.

— Mon ami, pour qui me prends-tu ? Cet argent-là, c'est de l'argent sacré.

Tout de suite il a commencé de parler de *La Pâquellerie* dont le parc est inondé, pour peu que l'Oise déborde. J'ai vu le moment où il me faudrait plaindre le dolent Joseph.

Ah ! non, Justin, je t'en prie, laissons ma famille dans l'ombre reposante. Que te dirais-je ? Que Larseneur a recommencé de fréquenter la maison, qu'il sort parfois avec Suzanne et que Testevel est tombé dans un morne désespoir. Non, non, laissons-les vivre, tous. Une seule chose me tourmente, si tu veux le savoir. Il y a longtemps que mon père n'a pas perpétré quelque belle extravagance. Il y a longtemps qu'il ne m'a pas fait souffrir. Je commence à être inquiet. Cette longue trêve n'est quand même pas naturelle. Elle ne me dit rien de bon.

Te voilà satisfait, Justin. Tu voulais des nouvelles

du clan, et tu les as reçues. Elles ne sont point trop fâcheuses, au bout du compte. Je voudrais en dire autant de tous les êtres qui m'entourent. Sénac est retourné chez M. Chalgrin, je l'ai su ; mais comme il ne venait plus au Collège et que j'étais, tu peux l'imaginer, soucieux de ses agissements, je suis allé le voir.

C'était un peu avant midi. J'ai trouvé Sénac dans son impasse, devant le portail du marchand de chevaux. Il faisait une assez maussade journée d'hiver, toute bruineuse et piquante. Sénac, vêtu d'un maigre waterproof couvert de taches, son chapeau melon rejeté en arrière, la moustache pendante, était, au grand jour du ciel, assez misérable. Il a notre âge, à deux ou trois ans près. C'est effrayant. Ses yeux sont cernés de mauve et ses paupières gonflées d'une bouffissure transparente. Il se rase la barbe, mais avec négligence, en sorte qu'il a le menton bleu. Ses mains semblent toujours mal lavées, ses ongles ternes et crasseux. A l'idée que je l'ai chaudement recommandé, naguère, à M. Chalgrin, je me sens saisi de vergogne.

Il était là, sur le petit trottoir de l'impasse, et contemplait les maquignons qui faisaient courir des chevaux dans la cour.

— Regarde un peu, m'a-t-il dit, regarde cette comédie. Tu ne comprends pas ? C'est très drôle. Le patron maquignon, celui qui porte la blouse bleue et la grande casquette de soie, a la bouche pleine de gousses d'ail, ce qui ne l'empêche pas de parler. Quand il veut exhiber un animal, il tire une gousse de sa bouche et il l'enfonce d'un geste adroit dans le derrière du canasson. C'est comme j'ai l'honneur de te le dire. Il paraît que les bêtes deviennent fringantes parce que l'ail les asticote. Moi, je trouve ça drôle.

Il s'est mis à rire, de ce rire sombre et maladif qui s'empêtre tout de suite dans les poils de sa moustache. Puis il m'a pris par le bras et nous avons gagné la rue. Je voulais lui parler encore de cette chose épouvantable... de cette indélicatesse, enfin, je ne sais comment dire. J'étais très embarrassé, très ému. Mon menton s'est mis à trembler, ce qui est chez moi un signe héréditaire de grande émotion. Je me suis lancé quand même.

— Tu sais, Jean-Paul, ai-je dit, que cette... chose que tu as faite pourrait avoir des conséquences très graves.

Il m'a regardé, d'abord, avec un peu d'étonnement.

— Ah! non! disait-il. Ah! non! tu ne vas pas m'embêter. Tu ne vas pas me faire de la morale. Il faut avoir le courage de ce qu'on pense. Il faut forcer les gens, même quand ils s'appellent Chalgrin, à savoir ce qu'ils veulent. Tes deux bonshommes se détestent et ce n'est pas d'aujourd'hui. Alors, qu'ils le sachent et même qu'ils le disent. J'aime les situations franches.

Il me regardait, il osait me regarder. Car son œil n'est pas fuyant, tout au contraire. Il vous cherche, il vous retient avec une fixité morne et obstinée. En sorte que l'on éprouve soi-même le besoin de détourner les yeux, de fuir comme fuirait un coupable. Il continuait de pérorer.

— Moi, j'aime les expériences. Je crois que je te l'ai dit.

— Quel intérêt avais-tu à faire une expérience telle?

Il s'est pris à toussoter:

— Et toi, quel intérêt as-tu à piquer des cochons d'Inde? Encore un peu, tu me ferais rire.

J'ai senti que tout entretien raisonnable serait impossible. Je venais de toucher le mur. Oui, je dis bien, le mur fermé, sourd et abrupt derrière lequel vit un être. Ah! cher vieux, que sont les obstacles de la nature, les montagnes, les océans, les forces en mouvement, le vent et les marées, que sont vraiment ces obstacles au prix de ceux que nous trouvons dans le caractère des hommes? Voilà une grandiloquence que tu voudras bien me pardonner. Puis-je m'exprimer autrement? Chaque jour de ma vie, je me suis heurté non pas à des hommes de chair, mais à des murailles d'obstination. Il est plus facile de détourner un fleuve, de franchir la mer, d'arrêter le vent que d'empêcher Joseph, mon père, Sénac et tous les autres, oui, tous les millions d'autres, d'être ce qu'ils sont, de penser ce qu'ils ne peuvent point ne pas penser. Je regardais Sénac et j'étais étreint par le sentiment de l'irréductible et de l'irrachetable. Non, non, le sacrifice du Christ est illusoire puisqu'il est admis, dès le début de l'aventure, que les anges des ténèbres ne peuvent pas être sauvés.

Pardonne cette rêverie. Je redescends à Sénac. Je cherchais à tâtons quelque conclusion provisoire. Je n'ai trouvé qu'une niaiserie. J'ai dit :

— As-tu seulement pensé qu'il ne s'agit pas des hommes, mais aussi de la science?

Sénac s'est mis à glousser doucement :

— Laisse donc la science tranquille. Les histoires de tes patrons, ce sont des histoires d'honneur, d'amour-propre et d'orgueil, rien de plus. Les orgueilleux, moi, je les déteste. Je voudrais les aplatir, leur montrer leur sottise et leur néant.

Il a reniflé longuement et a dit en me serrant la main :

— Moi, moi, je peux me vanter de n'être pas orgueilleux.

Tout cela va tourner très mal. Je commence à comprendre qu'il y avait, depuis longtemps, entre M. Chalgrin et M. Rohner, une animadversion qui ne paraissait guère. Si je l'avais senti plus tôt, je n'aurais pas souhaité d'occuper cette position qui va probablement devenir très difficile, cette position qui consiste à se tenir sur deux chaises, au risque de n'être assis ni sur l'une, ni sur l'autre et de choir entre les deux. Ma situation officielle est désormais chez M. Rohner, et depuis longtemps mon cœur est chez M. Chalgrin. J'aime et respecte M. Chalgrin, mais je respecte aussi M. Rohner et je les admire tous deux, car ce sont deux esprits épatants.

Tu sais que, le mois dernier, il s'est produit en Westphalie une catastrophe minière. On a dû parler de cela dans le Nord où tu vis et dans les milieux ouvriers. La France veut établir une station d'essais, à Liévin, pour étudier les accidents de cette sorte. Il faut réunir 400 000 francs. Le conseil des houillères voudrait constituer un comité de patronage où figureraient de grands savants, ce qui est bien naturel. On est venu, lundi, pressentir M. Rohner. Il était au travail et je me trouvais près de lui avec les autres préparateurs. Les envoyés du conseil présentaient leur requête. Le professeur souriait d'un air bienveillant et faisait craquer les articulations de ses doigts. Il murmurait : « Mais oui, de grand cœur, c'est une chose des plus honorables. Considérez que c'est entendu. » Et, là-dessus, on lui a tendu la liste. Je la lisais par-dessus son épaule. Il a jeté un coup d'œil et il a dit sèchement :

— Eh bien, je réfléchirai. Laissez-moi copie de cette liste. Il faut quand même savoir avec qui l'on se trouve.

Deux rides profondes se tordaient de chaque côté de sa bouche. Il avait quitté ce ton militaire qui lui est propre et que j'aime bien, pour prendre une voix soupçonneuse, hargneuse, assez cruelle. J'avais eu le temps de voir que le professeur Chalgrin devait être, et même avait accepté d'être vice-président du comité. J'ai tout compris. M. Rohner a coupé court à l'entretien et les visiteurs sont partis, passablement déconcertés. M. Rohner s'est mis à causer avec les deux autres préparateurs dont l'un est Vuillaume, que tu connais, et l'autre un petit bonhomme très vif et malicieux qui s'appelle Sauvignet. Et, soudain, d'une voix souverainement dédaigneuse, M. Rohner a dit, entre diverses remarques :

— C'est bien assez scandaleux de voir aujourd'hui la Société des Études rationalistes présidée par un monsieur qui tient du mythomane et de l'illuminé.

Vuillaume et Sauvignet ont ri. Je ne leur en veux pas. Ils n'ont pas les raisons que j'ai d'honorer M. Chalgrin. La phrase m'a quand même semblé dure. Le professeur parti, nous avons parlé, sans réserves, entre nous, les préparateurs. Mes deux collègues sont assez curieux du tour pris depuis quelques jours par la querelle des deux « vieux », comme dit volontiers Sauvignet. C'est peut-être qu'ils ne savent pas ce que j'ai le pénible avantage de savoir. Autrement, la querelle est ancienne et semblait devoir rester décente, comme il arrive si souvent quand deux hommes de même carrière finissent par se prendre en grippe. M. Rohner accuse Chalgrin de faire du rationalisme à l'eau de rose, d'évoluer vers un thomisme d'amateur (*sic*), de pactiser, de mener la Société des Études à la scission et au désordre. Chalgrin reproche à Rohner de faire du rationalisme primaire, de la philosophie de pion et de ramener la doctrine dans les voies de l'intolérance et du jacobinisme.

Tu me suis, cher Justin, et tu crois, d'un seul coup d'œil, découvrir la nature idéologique du différend. Eh bien, ce n'est quand même pas cela le fond du fond. On ne découvre jamais le fond du fond. Il y a toujours autre chose.

J'ai revu Schleiter, avant-hier, et tout à fait par hasard, en traversant le couloir transversal de la Sorbonne. Je lui ai parlé, non sans prudence, de cette lutte d'idées entre Rohner et Chalgrin. Il

s'est mis à rire, de ce rire invisible qui semble se
produire dans les profondeurs de la bête, et il m'a
donné son sentiment sur la haine que mes deux
patrons nourrissent l'un pour l'autre. Car il paraît
que c'est une espèce de haine, rien de moins.
M. Chalgrin est de l'Académie des Sciences depuis
1906. Il y est entré deux ans après M. Rohner et on
dit que ce dernier a fait de sensibles efforts pour lui
en barrer le chemin. Ils y sont tous deux maintenant ; mais ils affectent, les trois quarts du temps,
de ne pas se reconnaître pendant les séances. En
outre, le professeur Rohner ne cite M. Chalgrin
qu'en estropiant son nom. Il dit Chapegrin ou
Chategrin. Je l'avais déjà remarqué sans très bien
comprendre ce que cela pouvait signifier. Hélas!
Hélas!
  Schleiter a parlé longtemps. Je l'écoutais, tête
basse. Ainsi, donc, il n'y a pas de pures querelles
d'idées. Il n'y a que des querelles de personnes,
il n'y a que des querelles de sentiments et de passions. Quand deux amants, deux parents, deux
amis se fâchent, ils invoquent les idées, ils appellent
à la rescousse les doctrines et les philosophies ;
mais le nœud du discord n'est pas souvent dans
l'esprit : il est dans la chair et le sang. Oh! je m'en
doutais, parfois. J'ai reproché bien des choses à
mon père, dans l'ordre philosophique, par exemple
de se faire de la science une représentation absolue
et puérile, de confondre naïvement la science et la
sagesse, de ne pas s'intéresser à Schopenhauer ou à
Nietzsche, de mépriser les valeurs que je tiens pour
essentielles. Bah! tout cela ne pèserait pas lourd
si mon père avait fait en sorte que je pusse l'aimer,
simplement, de tout mon cœur. Les idées sont la
parure de nos haines ou de nos amitiés, mais l'affec-
tivité toute pure nous détermine et nous gouverne,
même quand nous avons l'honneur d'être Rohner
ou Chalgrin.

Cet entretien de Schleiter m'a laissé mélancolique. Je peux t'affirmer, Justin, que ces découvertes affligeantes ne modifient pas gravement la respectueuse admiration que je nourris pour des maîtres choisis ; pourtant elles me retirent cette belle sérénité dont je te parlais naguère.

Il est bien évident que les manigances de Sénac ont contribué sans nul doute à la crise. J'en suis encore à me demander comment Sénac a pu s'y prendre pour accomplir ce qu'il appelle « son expérience ». M. Rohner n'est pas d'un abord très facile. Je tâcherai d'interroger habilement Sauvignet qui me semble assez futé.

J'ai lu l'article de *La Presse médicale*. Pour un esprit non prévenu, c'est irréprochable. On pourrait croire que M. Nicolas Rohner discute avec des ombres, sous un portique. Pour moi qui commence à connaître les divers éléments du procès, l'article rend un autre son. Il n'est pas un mot qui ne soit dirigé contre les idées de M. Chalgrin et même, oui, sans trop chercher, contre les habitudes et la personne de mon cher patron. Ausculte un peu des phrases telles : « Il est possible à certaines personnes, par ailleurs bien respectables, d'imaginer que la biologie de l'avenir pourra somnoler dans des laboratoires poudreux, mal équipés et mal conduits en attendant les bonnes grâces de l'inspiration poétique. Pour nous, biologistes du XXᵉ siècle, nous sommes sûrs que les phénomènes de la vie doivent être observés au grand jour froid de la raison, observés et non rêvés, avec toutes les ressources d'un appareillage impeccable, avec le mandat impératif d'une nation confiante et disciplinée, etc. » Je n'en recopie pas davantage. Tout l'article est de cette encre.

Ce qui contribue sans doute à nourrir une telle discussion, c'est la bien regrettable affaire du Congrès des Sciences biologiques. Je ne sais si je t'en ai parlé : j'ai tant de choses à te dire. Ce congrès doit se réunir à Paris, vers la fin de l'hiver. Ce n'est pas un congrès régulier. Il est tout à fait exceptionnel et se propose, en groupant des savants appartenant à diverses branches de la science, de montrer avec éclat que la biologie se fonde aujourd'hui sur la chimie, la physique, la physiologie, la médecine, enfin mettons sur tout, pour ne rien oublier. On avait d'abord proposé la présidence à Berthelot qui non seulement était un très grand savant, mais qui était aussi ancien ministre, ce qui toujours flatte, chez les Français, je ne sais quel goût pervers du décorum politique. Malheureusement, Berthelot est mort. On a pressenti M. Roux qui jouit en ce moment d'une grande faveur populaire. M. Roux s'est dérobé. C'est un homme froid, réfléchi, qui sait très bien ce qu'il veut et très bien ce qu'il ne veut pas. Après diverses palabres, on a proposé la chose à mon patron, Olivier Chalgrin, membre de l'Institut, membre de l'Académie de médecine, professeur au Collège de France, président de la Société des Études rationalistes, etc. M. Chalgrin a, je dois le dire, accepté sans barguigner. Il y aura, le premier jour, une séance d'inauguration à la Sorbonne, avec musique militaire et, le soir du second ou du troisième jour, un énorme banquet au Palais d'Orsay. Les organisateurs ont prié M. Rohner de faire le discours du banquet. M. Rohner n'a pas encore accepté, parce qu'il espérait tout simplement la présidence du Congrès. Les choses en sont là pour l'instant.

Voilà ! Voilà ! C'est terrible. Sois bien sûr que je ne suis pas déçu. Je n'ai point d'illusions absurdes. Je sais que les hommes ne sont que des hommes, quand bien même ils sont très grands. Mais tout cela me choque et me fait souffrir un peu. En ce moment, le patron doit ruminer quelque chose. Je crois qu'il veut répondre à l'article de *La Presse*. Il y travaille sans arrêt. Quand je vais dans son bureau, je le trouve au milieu de mille petits papiers. Lui qui, d'ordinaire, écrit avec une facilité parfaite, il revient sur toutes les phrases, il les aiguise, il les affûte. Il ne me parle plus de Sénac. J'ai seulement remarqué depuis quelque temps qu'il ne lui donnait rien à copier d'essentiel. M. Chalgrin est très bon. Il pourrait, il aurait pu mettre Sénac à la porte, sans le moindre commentaire. Il n'en a rien fait. J'avoue que je ne sais plus ce qu'il me faut souhaiter. L'autre jour, Sénac a traversé mon laboratoire, au Collège, en sortant de la bibliothèque. Il s'est penché vers mon oreille et il a dit tout bas :

— Tu vois, je viens encore ici, mais ça me coûte beaucoup. C'est pour te rendre service.

Comment t'expliquer le malaise que me donne cette situation mensongère ? Ce matin, comme j'allais montrer des courbes à M. Chalgrin et lui demander son avis, il a levé vers moi son beau visage blanc et m'a dit à brûle-pourpoint :

— Je ne crains pas la critique. Je tâche même d'en profiter. Elle me fait aisément souffrir parce qu'elle trouve tout de suite le point sensible. Il n'est pas nécessaire de parler longuement de mes fautes pour me convaincre et me désespérer. Je suis tout de suite convaincu, je suis tout de suite de l'avis de mon adversaire. Je n'ai pas grand effort à faire pour confesser mes manques et mes erreurs.

Il avait l'air de souffrir et j'ai détourné la tête, car je sentais les larmes me brûler les yeux.

Nous avons travaillé, le calme est revenu. J'ai cru, pendant un grand moment, qu'il était revenu pour toujours, que cette histoire de querelle était un cauchemar absurde, que j'allais de nouveau pouvoir travailler en paix entre mes deux maîtres choisis. Ces deux hommes, je les connais dans leur personne et dans leurs ouvrages : ils cherchent tous deux la vérité, tous deux avec passion, tous deux avec désintéressement. Alors, tout espoir n'est pas perdu. Pour moi, ma ligne est droite : même s'ils restent séparés, je veux m'efforcer de les comprendre et de les aimer tous les deux.

7 décembre 1908.

CHAPITRE XI

LE DEVOIR EST DE SOULEVER DES MONTAGNES.
UNE ALLIANCE ENCYCLOPÉDIQUE. CROQUIS DU PETIT
SAUVIGNET. CIRCONSTANCES ATTÉNUANTES AU CAS
DE JEAN-PAUL SÉNAC. LES ROHNÉROPHILES ET LES
CHALGRINOTROPES. PASSAGE D'UN HOMME DE CŒUR.
DES RECHERCHES QUI PEUVENT BOULEVERSER LA
SCIENCE. CRITIQUE DE LA PUBLICITÉ. UN ÉCRIT DE
VAN HELMONT. UNE HAINE QUI DATE DE LOIN. LAU-
RENT FAIT ENCORE UN SERMENT. UN DÎNER CHEZ LE
PATRON. QUE JUSTIN N'EST PAS RAISONNABLE.

Mais oui, Justin, M. Chalgrin a répondu. Si je ne
t'en ai pas écrit plus tôt, c'est que cette réponse,
que j'attendais avec impatience, m'a quand même
un peu déconcerté. Quand je parle d'une « réponse »,
tu comprends ce que je veux dire. Il ne s'agit pas
d'un duel à grand orchestre. Les gens qui peuvent
comprendre la nature et les mobiles du conflit ne
sont pas en nombre. Il n'en reste pas moins que les
amis de M. Chalgrin attendaient, de lui, une vraie
riposte, que la riposte a fini par se produire et qu'elle
nous a déçus.

L'article de M. Chalgrin a paru dans *La Revue des
Deux Mondes* où le patron écrit volontiers. Je
comprends son intention. Il n'a pas voulu rendre

coup pour coup dans *La Presse Médicale* où il a bien des sympathies. Ç'aurait été quand même une façon trop visible de relever le gant. Alors il a choisi *La Revue des Deux Mondes* et ce n'est pas très adroit, d'abord parce que cela ne laisse pas d'aggraver le tour un peu littéraire de son travail, ensuite parce que c'est porter devant un public non préparé un différend qui semblait devoir se régler en vase clos, dans les milieux spécialisés, enfin parce que le choix de *La Revue des Deux Mondes* va donner des armes à ceux qui, comme M. Rohner, reprochent à M. Chalgrin d'incliner vers le théisme et l'anti-rationalisme.

La substance même de l'article pouvait nous déconcerter. C'est une sorte de pamphlet, assez laborieux dans le début, contre ce scientisme scolaire qui... contre ce rationalisme de clocher dont... Ah! cher Justin, j'ai souffert à lire ces vingt ou trente pages que l'on sent trop mijotées, trop bien recuites. Je me disais à chaque instant : « Je ne suis qu'un jeune homme et pourtant il me semble que j'aurais mieux plaidé la cause, que j'aurais été plus franchement au but. » Il y a, vers la fin de l'article — si *La Revue* te tombe entre les mains ne manque pas d'y jeter les yeux — une assez belle phrase que je voudrais te recopier : « De toutes les nations du monde, la France est donc la première, et c'est vraiment son honneur, à considérer les fruits de la science avec sagesse et dignité : sans illusion, d'abord, et sans désespoir non plus. » Mais cette phrase elle-même a produit mauvais effet. Je connais les idées du patron. Il a donné toute sa vie à la recherche scientifique : il a le droit de n'être pas dupe et de tout juger de haut. N'empêche que les gens de notre âge commencent à dire, entre eux, que c'est une attitude humiliée, que le triomphe de la science exige une foi sans réserve, que le doute n'est pas un bon levier pour soulever des montagnes et que le devoir actuel est justement de soulever des montagnes.

L'article de M. Chalgrin est en outre mal tombé pour certaines raisons que je te dirai plus tard. Ce qui m'afflige, c'est de sentir qu'il se forme secrètement deux partis adverses, dans le monde scientifique. Je sens bien que j'exagère et qu'il faudrait dire dans le petit monde fermé des sciences biologiques. Le monde scientifique! Il est divisé, comme toute société, par maintes cloisons étanches. Tu m'as dit souvent qu'il en était de même dans le monde littéraire, que les écrivains de théâtre ne s'intéressaient pas aux romanciers et que les romanciers n'attachaient aucune importance aux éclats des poètes. C'est tout semblable dans les sciences. Les physiciens et les chimistes s'évertuent sous une cloche, les astronomes vivent dans le firmament, les mathématiciens dans la forêt des signes, et nous, les gens de la vie, nous bataillons dans notre coin, entre nos étuves et nos animaux, et nous fermons l'oreille à ce qui n'est pas de chez nous. Une des grandes pensées de M. Chalgrin a été longtemps et, je crois, est encore de faire, à la faveur de la biologie, une alliance encyclopédique des sciences. Avoue que cette pensée est belle, mais n'espère pas trop de la voir triompher.

Je te disais qu'il se formait, dans l'ombre, deux sectes, deux coteries. Elles ne se manifestent pas encore au grand jour, mais elles travaillent en profondeur. Si je déclare que l'œuvre du mal trouve toujours des aliments, des concours, des complicités, ne va pas t'imaginer que je succombe au pessimisme. Certaines bonnes œuvres rassemblent aussi des adhésions, je ne l'oublie pas. Mais l'entrain, l'appétit, l'esprit d'invention avec lesquels d'ordinaire les hommes les plus paisibles s'associent à une entreprise de division, de médisance, de malfaisance et d'anéantissement, voilà ce que je suis en train de découvrir, non sans horreur.

Ne crois pas que je veuille réhabiliter Sénac à tes yeux, si je te dis qu'il n'est pas tout à fait aussi venimeux qu'il souhaiterait de le paraître. J'ai tiré des renseignements de mes deux collègues : Vuillaume et Sauvignet. Sénac ne s'est pas introduit chez M. Rohner au crépuscule, cachant sous un manteau couleur de muraille le dactylogramme soustrait à M. Chalgrin. La vérité est beaucoup moins romanesque. Jean-Paul connaissait depuis longtemps Vuillaume qu'il avait rencontré chez moi. Par Vuillaume il a touché Sauvignet, le garçon à mine de renard dont je crois t'avoir parlé. Sauvignet est le fils de ce grand botaniste dont tu ne sais peut-être même pas le nom et qui a, pendant dix ans, tyrannisé l'Académie des Sciences. Il est mort en 1906. Le fils est encore ce que l'on appelle en médecine un fils de patron. Il connaît tout le monde, appelle familièrement les vieillards par leur prénom, possède un effrayant arsenal d'anecdotes et se présente sans détour comme un spécialiste du scandale. Chose étrange, ce n'est pas un mauvais garçon, il est même serviable. Mais il ne peut se passer de faire rire et, pour ce beau résultat, il immolerait sa famille et ses alliés.

Je crois qu'il nourrit pour Rohner un attachement très sûr, toutefois l'idée d'un combat le remplit de passion sportive. Il a senti que Sénac savait des choses piquantes. Il l'a invité quelque part à dîner et il l'a soûlé, ce qui n'est pas trop difficile. Sénac a fait le malin, il a parlé des idées de M. Chalgrin, des écrits secrets de M. Chalgrin. Sauvignet a mis Sénac au défi de montrer les fameuses notes. Sénac les a tirées de sa poche, toutes froissées, toutes crasseuses, et Sauvignet a copié, sur la table du restaurant. Par la suite, Sénac a vu personnellement M. Rohner. Tout le mal était fait et M. Rohner n'a rien demandé de plus.

En apprenant ces détails que Sauvignet distille d'une voix aigrelette, j'ai pensé que je devais m'expliquer de nouveau avec le triste Jean-Paul. Car, en somme, son cas n'est pas si grave. Il a péché par faiblesse, par fanfaronnade, par orgueil, je ne sais. A la réflexion, j'ai décidé de ne rien dire. Si je m'avise de prendre Sénac à part et de lui donner une moitié d'absolution, il va se mettre en rogne, affirmer qu'il sait ce qu'il veut, qu'il a fait « une expérience » et qu'il est bien plus dégoûtant, bien plus criminel, bien plus ignoble que je ne saurais le croire.

Sauvignet parle de toutes ces choses avec une passion guillerette. Il a déjà baptisé les partisans. Il dit : « Je soupçonne Roch d'être Rohnerophile. Pour Nicolle, il est Chalgrinotrope. Vous, Pasquier, vous qui voyez les deux, vous êtes ambivalent. Profitez-en, mon cher, cela ne pourra pas durer. Quant à des gars comme Schleiter, ils sont immunisés par une complète indifférence. Ils sont impolarisables. » Le fait est que Schleiter, la dernière fois que je l'ai vu, m'a dit d'un air supérieur : « Faites comme moi ; ne vous mêlez pas de ces histoires de chapelles. Il y a longtemps que j'ai perdu l'espoir de concilier des gens qui ne peuvent pas s'entendre. »

Je viens de prononcer le nom de Nicolle. Tu sais ou plutôt tu ne sais pas qu'ils sont deux, les Nicolle : Maurice et Charles. C'est de Charles que je parle. Il est ami de M. Chalgrin ; mais nous ne le voyons guère parce qu'il dirige depuis quelque temps l'Institut Pasteur de Tunis. Il a quarante ou quarante-cinq ans, je ne peux dire au juste. Il est long, mince, flexible. Un petit nez bref, une moustache. Des cheveux rares et légers. Une grande douceur un peu effarouchée, car il est très dur d'oreille. Le sourire est coloré d'ironie et de tendresse. Il a l'air d'un saint de vitrail sagement vêtu en professeur et retouché par Dickens. Avant de partir pour Tunis, il a travaillé chez M. Chalgrin qui l'aime et l'écoute volontiers. Il a passé près d'une semaine à Paris et j'ai cru qu'il allait calmer le patron, l'incliner à la conciliation. Ils se voyaient tous les jours et M. Chalgrin recommençait de sourire. Malheureusement, Nicolle est parti. Nous sommes retombés tout de suite dans les murmures et les commérages. Affreux à dire, Justin, ces hommes instruits, ces hommes éminents et parfois géniaux parmi lesquels j'ai le privilège de vivre sont tourmentés comme les autres par d'absurdes potins, ragots et cancans. M. Chalgrin sent que ce n'est pas digne de lui. Je vois bien qu'il en souffre. La sérénité lui échappe. Trop de gens travaillent des griffes et des dents à mettre en poussière cette pauvre sérénité.

Je te disais tantôt que la réponse de M. Chalgrin n'était pas trop bien tombée. Tu vas me comprendre. Il y a trois ou quatre semaines, Rohner a publié un mémoire qui fait en ce moment beaucoup de bruit dans la presse et même dans le grand public. Je vais tâcher de t'expliquer en trois mots ce que contient ce mémoire et tu sentiras tout de suite que ce n'est pas sans importance. Rohner a cultivé certaines moisissures banales sur des milieux soigneusement préparés et à certaines températures. Après plusieurs repiquages, il a trouvé dans ses cultures du bacille tuberculeux ou du moins un bacille ayant tous les caractères du bacille tuberculeux. Il a repiqué ce bacille sur d'autres milieux et il a obtenu des formes nouvelles, des formes arrondies, des *cocci*, comme nous disons, qui jouissent de propriétés particulières et même de propriétés pathologiques intéressantes. Je peux t'affirmer que ces recherches sont de nature à bouleverser la science et qu'elles ont soulevé dans nos milieux scientifiques un intérêt ardent. Je dois même ajouter qu'à mes yeux ce sont des travaux d'une portée incalculable. L'opinion s'en est emparée. Rohner a pris soin de recevoir les journalistes de la grande presse et de leur communiquer des textes qu'il prépare lui-même et qui, pour ne rien te cacher, contiennent des éloges délicats, ingénieux et répétés à l'adresse de M. Rohner, de la technique de M. Rohner, du génie inventif de M. Rohner. Enfin, depuis quelque temps, M. Rohner a les honneurs de la vedette et je pense que, dans les journaux du Nord, on n'a pas manqué d'en dire quelque chose.

Reconnais que c'était un mauvais moment pour attaquer les idées de Rohner et que Chalgrin l'a senti. Je m'aperçois que, petit à petit, je fais comme Sauvignet et comme les autres. Je dis Rohner, je dis Chalgrin. Sois bien sûr que le respect n'est pas moins grand dans mon cœur. Je cède à la pression générale.

Chose pénible à noter et qu'il me faut noter quand même, ce succès de Rohner — car c'est un véritable succès — a choqué, je devrais même dire blessé mon cher patron. Il est arrivé, l'autre jour, au Collège, en froissant un numéro du *Matin* entre ses doigts. Il nous a dit :

— M. Rohner donne des interviews aux publicistes. Ce n'est ni sérieux ni convenable. Voilà quelque chose que l'on n'aurait pas fait il y a vingt ans.

Il avait raison. Les idées des savants finissent toujours par atteindre la foule et il le faut ; mais ce n'est peut-être pas aux savants de travailler eux-mêmes à cette vulgarisation.

Ce qui m'a navré, c'est que, deux jours plus tard, j'ai vu venir au Collège un collaborateur de *L'Écho de Paris*. Il a demandé l'honneur d'un entretien au patron qui l'a reçu tout de suite et qui l'a gardé plus d'une demi-heure. Le gaillard a publié un article dans son journal. Le patron avait l'air de s'en excuser. Il disait : « Il s'agit à peine de moi. Il ne s'agit même pas du tout de moi. Je n'ai parlé que de mes idées et de cette vieille maison sur laquelle il faut quand même ramener l'attention du public. »

Nous étions dans le grand laboratoire, à la fin de la matinée. Le patron s'est assis à côté de moi, comme il fait souvent. J'ai senti qu'il était agité, qu'il allait me parler de Rohner, qu'il n'aurait pas le courage de ne pas me parler de Rohner, encore et toujours.

— Vous l'avez lu, m'a-t-il dit, vous l'avez lu, ce fameux mémoire?

J'ai eu peur. J'ai senti que s'il me faisait l'honneur de me demander mon avis, je ne pourrais pas m'empêcher de lui avouer que je trouvais le mémoire de M. Rohner tout à fait intéressant. Il n'a pas demandé mon avis. Il s'est mis à parler d'abondance, avec une passion blanche toute semblable à la colère.

— Vous verrez, Pasquier, vous verrez, qu'avec son rationalisme si parfaitement intransigeant, si purement expérimental, Rohner va revenir à la génération spontanée. Il vient de porter un coup à l'idée de spécificité. Si je le comprends bien, il va fabriquer du bacille de Koch, et puis, après, n'importe quoi avec n'importe quelle saleté. Il n'a plus, ensuite, qu'à donner la recette chimique de sa moisissure. Et nous voilà tout droit à la génération spontanée. L'œuvre de Pasteur est ruinée. Du moins c'est Rohner qui le croit. Mais il a tort de le croire. Il n'a qu'une pensée : être plus grand que Pasteur. Eh bien, non, il n'y est pas encore.

Il a tiré de sa poche son petit carnet de notes et l'a feuilleté en mouillant son doigt. Il disait :

— Vous n'avez pas lu les vieux auteurs? Vous n'avez sûrement pas lu Van Helmont. Lisez-le, cela vaut la peine. C'est du Rohner, mot pour mot. Écoutez ce qu'il disait, le bonhomme du XVIIe siècle : « Si l'on comprime une chemise sale dans l'orifice d'un vaisseau contenant des grains de blé, le ferment sorti de la chemise sale, modifié par l'odeur du grain, donne lieu à la transmutation du froment en souris après vingt et un jours environ. » Vous le voyez, Rohner ne dit pas autrement, avec sa façon de transformer n'importe quoi en quelque chose. Mon cher, je suis triste en lisant les sottises de Van Helmont. Nos belles communications qui ressemblent à des bulletins de victoire feront rire nos arrière-neveux comme nous font rire aujourd'hui les niaiseries des vieux physiciens.

J'avais le sentiment que le patron lâchait Rohner, qu'il regagnait, purifié, les sphères philosophiques dans lesquelles il se meut d'ordinaire avec tant de liberté. Il a refermé son carnet en faisant claquer l'élastique.

— Cela ne fait rien. Nous piétinons, nous trébuchons, mais nous avançons quand même, la science avance, presque malgré elle. Un jour, on pourra non seulement guérir les maladies, mais encore bouleverser les règles normales de la vie, déterminer le sexe à volonté, créer des êtres asexués, des races de pygmées ou des races de géants. Quelle puissance ! Et qu'en fera-t-on ? Voilà ce que je me demande. Nous ne pouvons pas nous arrêter. La science est comme une maladie, une maladie qui progresse en transformant le monde et en le dévorant aussi.

J'avais bonne raison de croire M. Rohner oublié. Eh bien, il n'en était rien. Le patron a mis soudain l'index sur sa lèvre supérieure, à la racine du nez, et il a dit cette phrase étonnante :

— M. Rohner est très intelligent. Je suis à peu près sûr qu'il se trompe, qu'il fait fausse route ; j'admire quand même son intelligence et je ne vous cacherai pas, mon ami, que certains jours il m'arrive de l'envier, oui, de souhaiter un peu cette forme d'intelligence.

Et tout à coup, d'une voix lointaine :

— Je ne vous ai jamais dit que nous avons été, jadis, condisciples en rhétorique, au lycée Henri IV, M. Rohner et moi. Oh! c'est une vieille histoire. Dès cette époque, il ne pouvait pas me souffrir. Il y a sans doute en moi quelque chose qui l'indispose. Et vous savez, Pasquier, que c'est bien la centième fois que, sans trop en avoir l'air, il me dit des choses désagréables. Que Vaxelaire ou Richet soient aujourd'hui célèbres et même couverts d'honneurs, cela lui est bien égal. Mais ce qui m'arrive d'heureux, à moi, il ne peut le supporter, cela doit lui faire du mal.

Le patron s'est levé, m'a tourné le dos et il disait en s'en allant :

— Nous allons reprendre toutes ses expériences, n'est ce pas, mon ami ? Nous commencerons demain. Et s'il s'est moqué du monde, eh bien, nous le dirons tout haut. Pasquier, vous n'oubliez pas que nous devons dîner ensemble après-demain soir, si je ne me trompe.

Au sortir de cet entretien, j'ai fait un serment, dans le secret de mon cœur. Je me suis juré que, plus tard, beaucoup plus tard, si je devenais un maître à mon tour, je ne me laisserais jamais engager dans une querelle aussi funeste avec un homme que j'aurais quelque raison de considérer comme un esprit de grande valeur. Mon serment fait, je me suis aperçu qu'il répondait assez mal à la présente conjoncture. Malgré ses affirmations courtoises, M. Chalgrin ne tient pas M. Rohner pour un esprit de grande valeur, et Nicolas Rohner n'a pas de son rival une idée plus généreuse.

Tout cela demeure insoluble et je ne saurais te dire à quel point il m'est pénible de vivre balancé comme je le suis chaque jour de l'admiration au déplaisir, du respect à la pitié, car, certains jours, ils me font pitié, tous les deux.

Le patron réunit à dîner ses collaborateurs, une

ou deux fois par trimestre. D'ordinaire, le dîner est très gai. M. Chalgrin parle beaucoup. Il a voyagé, connu des hommes illustres, observé les mœurs, retenu mille et mille traits. Le dîner de l'autre jour a manqué d'allégresse. L'intérieur de M. Chalgrin t'étonnerait beaucoup. C'est terriblement provincial : cache-pot, housses, plantes vertes, velours à pompons. Ce n'est pas le portrait du patron, c'est le portrait de sa femme. Cela sent le chat, dès la porte. Le matou de M\ :sup:`me` Chalgrin, celui qui lit si bien dans la pensée de Sénac, est un animal au fumet puissant. On dirait, à fleurer ses traces, qu'il a mangé des asperges. Par bonheur, M. Chalgrin ne fume pas, à cause de son cœur. On imagine difficilement ce que donnerait le tabac greffé sur ce remugle animal.

Que ce petit tableau ne t'incline pas à croire que je n'aime pas la maison de M. Chalgrin. Si, si, je m'y plais, d'habitude. Mais la soirée de l'autre jour a fini par m'indisposer. Les gens qui se trouvaient là n'ont parlé que de la querelle, de l'article, de la réponse, de la re-réponse, de la présidence du congrès, des discours à prononcer, de la présence du président de la République à la séance d'ouverture, ou au banquet, ou au gala. C'était assez lamentable. M\ :sup:`me` Chalgrin, qui a dû être très belle, est une personne affectée pour qui certains phénomènes comme les congrès et certaines institutions comme les académies sont des réalités capitales, ce qui, au regard d'un garçon de mon âge, est assez peu compréhensible et même assez agaçant. Je dis « un garçon de mon âge » parce que, sur ces questions, M. Chalgrin parle en souriant avec douceur. L'âge n'y fait rien, je t'assure. Je peux vieillir, ce que je ne souhaite guère : je ne penserai jamais autrement.

Il paraît que M. Rohner fait démarche sur démarche pour obtenir du comité la présidence du congrès, car, par suite de la mort de Berthelot et du refus de M. Roux, la question demeure en suspens. Pourtant, la date approche et tout le monde commence à s'agacer un peu. Les conversations allaient leur train, chez le patron. Mme Chalgrin a dit soudain avec beaucoup d'aigreur :

— C'est tout simple : si le professeur Rohner doit prendre la parole à ce congrès, mon mari n'y paraîtra pas.

M. Chalgrin hochait la tête :

— Mais si, mais si, disait-il, je ne peux pas n'y point paraître. Il ne faut pas se laisser aller à des mouvements d'humeur. Réfléchis un peu, Charlotte.

Mme Chalgrin ne semblait pas disposée à réfléchir. Je suis rentré chez moi, seul, tout attristé, presque malheureux.

Pourtant, il y a des moments où le discord est suspendu. Le patron travaille, nous travaillons dans une paix profonde. J'oublie la misère des âmes. Je ne songe qu'aux grandes idées qui nous éclairent et nous guident. Et puis, soudain, tout repart, tout se gâte. Il faut peu de chose : une visite, une lecture, un mot ; moins encore, un souvenir, une pensée, une image, un rien.

Tu vas croire, Justin, que malgré mes résolutions et ma réserve naturelle, je me laisse contaminer. C'est vrai. Je m'aperçois, ce disant, que je suis gagné, possédé, que je réponds mal à tes lettres, que je ne te dis pas combien elles me touchent et m'intéressent. Au surplus, j'hésite parfois à te dévoiler toute ma pensée. Tu m'as, à plusieurs reprises, prié de te donner des nouvelles de ma famille. Je l'ai fait, à contrecœur. Je vois bien que cette partie de mes lettres ne répondait pas à ton attente. Ah! Justin, soyons francs : ton intérêt pour le clan Pasquier est sincère, mais ne crois pas que je sois aveugle. Quand tu me demandes avec insistance des nouvelles de nous, je sais de qui tu veux que je te parle et si je ne t'en parle pas, je vois que tu n'es pas content.

Justin, mon ami, mon frère, laisse-moi te dire que tu n'es pas raisonnable. Tu m'entretenais l'été dernier d'une jeune fille, une demoiselle Marthe, une ouvrière, avec laquelle tu prenais plaisir à te promener. J'en étais vraiment heureux. J'espérais que tu étais... guéri, ô le plus opiniâtre des hommes. Je vois bien, aujourd'hui, que tu souffres encore et j'en suis plus affecté que mécontent.

Tu me reproches de ne plus parler de Fauvet. Et, pour peu que je parle de Fauvet, tu me reproches de l'appeler Richard ; tu trouves que c'est trop familier. Tu me fais, par lettres, de vraies scènes de jalousie.

Je crois pourtant t'avoir dit tout ce que je pouvais te dire au sujet de Richard Fauvet. Il n'est pas et ne sera jamais mon ami, du moins mon intime ami. Il a beaucoup insisté pour être admis chez Cécile et pour y entreprendre quelques expériences qui, d'ailleurs, n'avancent guère. Cécile se plie au jeu parce qu'elle croit que cela me fait plaisir. Pour moi, je ne peux lui dire que ce m'est indifférent car je ne veux quand même pas désobliger Richard Fauvet. Et c'est tout, c'est tout, absolument tout. Il n'y a pas de quoi souffrir. Es-tu, dis-le-moi, cher Justin, capable de ne pas souffrir ?

Ton Laurent.

28 décembre 1908.

CHAPITRE XII

UNE TRÈS PURE AMITIÉ. NOS MAÎTRES SONT NOS
MAÎTRES. SIGNATURES ET MANIFESTES. PÉCHÉ
CONTRE L'ESPRIT. LE SENS CRITIQUE FAIT HOMME.
LE « COEFFICIENT ROHNER ». UN CARACTÈRE. UNE
PAROLE DE CHARLES RICHET. DEUX ÂMES FACE À
FACE.

C'est vrai, je te parle de ton amie, Mlle Marthe,
avec d'autant plus de liberté, d'autant plus d'innocence que je suis, en ce qui la concerne, réduit aux
conjectures. Ne te mets donc pas en colère. Ne
monte plus sur tes grands chevaux. Il s'agit,
m'expliques-tu, d'une très pure amitié. Tant pis,
mon ami, tant pis! Si tu m'avais dit tout uniment
que cette jeune personne était ta maîtresse, crois
bien que cela ne m'aurait pas effarouché, mais
réjoui. Méfie-toi, Justin : nous avons décidé qu'une
sincérité parfaite serait le principe et la règle de
toute notre correspondance. Je respecte cette
convention. Tâche donc d'agir de même, avec
autant de naturel.

Je ne t'ai pas caché que je prenais du plaisir à
regarder Catherine Houdoire. Tu as peut-être oublié
déjà que Catherine Houdoire est cette jeune femme
qui travaille chez Rohner comme assistante. —
Sternovitch dit laborantine ; c'est un mot nouveau

que je trouve assez gracieux, mais qui n'est peut-être pas français. — Tout le monde ici l'appelle Mᵐᵉ Houdoire. Nous sommes très bons amis et, moi, je l'appelle Catherine quand nous sommes seuls et que nous devisons intimement. Elle est, je te l'ai peut-être écrit, sans famille et séparée de son mari. Nous avons ensemble de calmes entretiens, colorés d'une réelle tendresse. Je t'ai fait comprendre que je ne l'aimais pas. Non, je ne l'aime pas. Ce qu'il y a entre nous, c'est précisément « une très pure amitié ».

Mᵐᵉ Houdoire fait, en ce moment, pour le patron, des « passages ». — Ciel! je viens de nommer M. Rohner : le patron! Que dirait mon pauvre et cher M. Chalgrin s'il m'entendait? — Je reviens aux « passages ». Il y a eu, récemment, dans la banlieue sud, une curieuse épidémie de certaine maladie qui n'est pas la scarlatine mais qui donne régulièrement une angine, une néphrite, c'est-à-dire une maladie des reins, et une endocardite, c'est-à-dire une maladie du cœur, assez grave, parfois mortelle. Nous avons été voir les malades, les uns sur place et les autres dans les hôpitaux. M. Rohner a fini par isoler une sorte de streptocoque — tu sais, tu devines qu'il s'agit d'un microbe — et ce streptocoque ou, pour être plus exact, ce microcoque, donne de bonnes cultures, mais il faut le faire passer sur l'animal vivant pour lui garder sa virulence. Je m'excuse de ce jargon : si je ne te dis pas tout cela, tu ne peux ni comprendre ma vie, ni même t'y intéresser. Le fameux virus tue le cobaye en cinq jours. Dès le quatrième jour, on prélève un peu de sang sur l'animal malade et on l'injecte à un animal sain qui contracte la maladie. Les animaux présentent régulièrement une néphrite et une endocardite, comme l'homme. C'est une affaire très intéressante et sur laquelle M. Rohner est fort échauffé. Catherine Houdoire « fait des passages », c'est-à-dire que, tous les jours, elle pique des bestioles. Je viens de te donner ce qu'on appelle, dans le style journalistique, des précisions. Et c'est maintenant que la sincérité parfaite doit jouer son rôle. Je regarde Catherine Houdoire, pendant qu'elle travaille. Je la regarde avec une entière liberté d'esprit. Je jouis vraiment de ce que tu te plais à nommer l'amitié très pure. Son travail fini, nous engageons quelque lente conversation. Je contemple ce beau visage mélancolique, et, soudain, je vois qu'il se passe au coin de la narine ou à l'extrémité du sourcil quelque chose de tout à fait naturel, un frémissement, une légère inflexion des traits. Et, soudain, en moi, dans les profondeurs de moi, se prend à remuer une force violente et terrible qui est comme un démon, non pas un démon étranger, qui est mon démon à moi. C'est un besoin de saisir cette douce et aimable femme, de la saisir aux hanches ou aux épaules, de la couvrir de caresses et de baisers, de m'emparer d'elle comme d'une proie. Et pourquoi ? je te le demande. Pour me délivrer du démon en l'assouvissant et pour, de nouveau, pouvoir considérer le monde en général et Catherine Houdoire en particulier avec le regard de la très pure amitié. Tu le vois, tout cela n'est pas simple : je crois t'avoir dit que je n'aime pas Mme Houdoire, que je ne l'aime pas d'amour. Il est difficile d'être un pur esprit et de nourrir de pures amitiés.

Laissons cela. Je dois, non sans dépit, te dire que M. Rohner a reçu la cravate de commandeur de la Légion d'honneur... ouf ! Il était en tête, sur la promotion de janvier. A peine la nouvelle connue, M. Rohner a tout de suite arboré son fastueux insigne.

Si cela peut lui faire plaisir, j'en suis enchanté ; pourtant je ne saurais te cacher que j'éprouve une grande déception. Je croyais que M. Rohner méprisait les honneurs. Il s'estimait, tout au contraire, insuffisamment honoré. Crois bien que cela ne me rend pas injuste. Note même que je m'exprime avec une parfaite modération. Sauvignet, l'élève chéri de M. Rohner, est moins réservé dans les termes. Il a dit, en lisant les journaux : « Il était temps! Le Vieux avait, de cet ustensile, une envie presque obscène. Il en aurait fait une maladie. » Cette façon de parler me choque. Malgré leurs faiblesses, nos maîtres sont nos maîtres. Je n'en fais pas moins le serment de me défier des honneurs. C'est d'ailleurs le conseil amical que tu m'as donné, l'an passé, quand, sur l'intervention de M. Hermerel, on m'a décoré, ce dont je reste encore bien confus.

M. Chalgrin a envoyé, je l'ai su par Sauvignet, une carte de félicitations à M. Rohner. Mon cher patron est beau joueur. Cela n'a pas désarmé Rohner qui, d'une part, s'est dispensé de répondre et qui, d'autre part, intrigue avec ardeur pour que la présidence du congrès ne soit pas donnée à Chalgrin. Note que Rohner ne demande plus la présidence pour lui. Tout le monde sent qu'il ne l'aura pas et il le sent aussi. Mais il serait très heureux d'empêcher Chalgrin de l'avoir. Il a donc lancé le nom de Richet.

Richet est un caractère admirable : il ne se prêtera pas à quelque manœuvre discourtoise. Le comité doit se réunir ces jours-ci pour voter. Rohner s'agite d'une manière que je ne peux m'empêcher de trouver affligeante. Il a poussé l'un de ses élèves, que tu connais, d'ailleurs, mon ami Roch, à publier un article orné d'allusions perfides aux derniers travaux de M. Chalgrin. Je verrai Roch et je lui dirai ce que je pense de cette manœuvre.

On a fait signer à M. Chalgrin, la semaine dernière, une protestation, une supplique en faveur des Persans condamnés à mort pendant la dernière

crise politique. Le texte signé par M. Chalgrin et
que l'on a télégraphié, paraît-il, au gouvernement
persan, a été publié chez nous par les journaux
avancés. M. Rohner — je suis obligé de penser que
c'est lui — a découpé ce texte dans les feuilles et
il l'a sans retard fait parvenir à tous les membres
du comité, assaisonné de commentaires pour donner à entendre que M. Chalgrin est un esprit dangereux et qu'il est en outre franc-maçon! Je peux
t'affirmer que ce n'est pas vrai : M. Chalgrin n'est
pas franc-maçon. S'il l'était, il ne s'en cacherait
pas. Il est justement, dans sa philosophie, tout le
contraire de l'esprit maçonnique. Il signe souvent
des manifestes, des appels, des protestations. Il
ne sait pas résister et il est naturellement très
généreux, très charitable.

Ce qui m'engage à penser que M. Rohner est
l'instigateur de ces petits messages anonymes dont
je viens de te parler, c'est qu'il dit à qui veut l'entendre : « M. Chapegrin est une bonne âme. Il signe
pour demander la grâce de gens qui n'existent
même pas. Les fameux condamnés à mort sont des
épouvantails et des marionnettes inventés par les
pires politicailleurs. M. Chassegrin a le cœur bien
sensible. »

Je commence à connaître M. Rohner. Quelle
curieuse figure! C'est un homme de grande intelligence. Nul mieux que lui n'est capable de diviser
la difficulté en parcelles et d'attaquer chacune de
ces parcelles pour la résoudre comme il est recommandé dans le *Discours de la Méthode*. Et pourtant
cette intelligence corrosive ne me séduit pas toujours ;
le plus souvent, elle m'indispose. Je me suis d'abord
demandé pourquoi. Peut-être ai-je enfin compris.
M. Rohner n'a pas le culte de l'intelligence, il a le
culte de son intelligence. Il est parfaitement sûr
que lui seul est intelligent et que les autres hommes
sont plus ou moins doués pour la stupidité. Ce

dédain, il ne le réserve pas au vulgaire, il l'étend libéralement aux esprits réputés pour leurs mérites, pour leurs travaux, pour leur ingéniosité. M. Rohner méprise indistinctement tous les autres savants et ne laisse jamais perdre une occasion de manifester son mépris. Je n'ai pas encore, des hommes, une expérience approfondie ; mais il me semble que méconnaître à ce point l'intelligence chez les autres, c'est pécher contre l'esprit.

M. Rohner s'exprime d'une voix mate, sans vibration ; je crois t'avoir déjà dit que cette voix me fait penser à ce que devait être l'éloquence de Robespierre. M. Rohner n'élève presque jamais le ton. Parfois, son accent devient, en même temps que goguenard, encore plus glacé, s'il est possible. Deux rides profondes se creusent de part et d'autre de sa bouche dont les commissures s'abaissent et se tordent. A de tels moments, le mépris qu'il éprouve pour le monde entier semble se colorer de dégoût.

Pour nous autres, les petits, il est volontiers cordial, sans chaleur, et indulgent, avec sarcasme. Devant lui, je ne peux m'empêcher de faire une attention extrême à ce que je dis. Jamais d'abandon, jamais d'élan. Ce pourrait être, somme toute, une chance de bonne discipline. Mais il y a quelque chose qui me gêne beaucoup et que je voudrais t'expliquer : M. Rohner ne me grandit jamais. Tout au contraire. Si je quitte son entretien avec le sentiment de n'avoir pas été ridiculement au-dessous de moi-même, je peux m'estimer satisfait. Il a le don, pour tout dire, de diminuer, de réduire et de mater son interlocuteur, si modeste soit ce dernier. Il est possible qu'il considère ces opérations de réduction et de dressage comme des succès, comme des victoires. Il me déclare, par exemple : « Vous, Pasquier, vous avez surtout de la mémoire. Si, si, je sais ce que je dis : la mémoire est votre qualité dominante. C'est, d'ailleurs, malgré tout, une très honorable qualité. » Je cite un propos entre mille. Inutile d'insister. Tu as compris. On s'habitue à cet esprit. En réalité, dans la société de M. Rohner, je me sens plus chétif, plus misérable que d'ordinaire, je ne me sens surtout pas très heureux.

Et M. Rohner, je ne te le dirai jamais assez, est d'une intelligence exceptionnelle. Il a des idées. Il est travailleur avec acharnement.

C'est le sens critique fait homme. Il dessèche admirablement ceux qui restent longtemps dans son entourage immédiat. Il paraît que feu Mᵐᵉ Rohner a été torturée de toutes les façons par ce mari difficile, avant de s'effacer dans un néant qui doit aujourd'hui lui sembler paradisiaque. Le sens critique de M. Rohner s'exerce avec bénignité sur la propre personne de M. Rohner. Il est sûr qu'un jour futur il obtiendra la synthèse des albumines vivantes, c'est-à-dire qu'il fabriquera de la vie et même qu'il obtiendra ce qu'il aura décidé d'obtenir comme être vivant, au choix. En conséquence, il méprise la vie et la matière vivante. Mais quand cette matière vivante s'appelle Rohner, il ne la méprise plus du tout. Il l'admire et la respecte. Il ne doute pas, au fond de son cœur, de la divinité d'une matière vivante portant « l'indice Rohner », le « coefficient Rohner ».

Il a grand soin de sa guenille et se montre plein d'exigence à l'égard de tout ce qui intéresse d'une manière quelconque son inestimable personne. Il est professeur titulaire à la Faculté, membre de l'Académie des Sciences, président de plusieurs sociétés savantes, et couvert de décorations. N'empêche que, s'il lui arrive un petit accroc, une légère mésaventure, une perte d'argent ou même un manque à gagner, il se croit déshérité, trahi, abandonné de tous. Il proteste et jure, de sa voix polaire. Je crois t'avoir dit qu'il était fort économe. Les jours passent et j'ai bien peur que cette vertu n'ait peut-être un autre nom. On a fait, dernièrement, une collecte pour un garçon de laboratoire qui vient de tomber infirme. Rohner a donné cinq francs, non sans marquer la contrariété la plus vive. Il disait : « Ces choses-là, c'est l'État que cela regarde. Nous n'allons quand même pas, avec nos maigres traitements, jouer au bureau de bienfaisance. »

Il fume beaucoup. Dès qu'il est privé de fumer par un rhume, par un coryza, il regarde ceux qui fument avec agacement et envie comme s'il se trouvait, lui, Rohner, l'objet d'une grande injustice.

On lui demande assez souvent de faire partie de quelque comité de personnalités notables. Il accepte en rechignant et se plaint d'être excédé. Mais qu'on ne lui demande rien, alors il gronde qu'on l'oublie toujours et que c'est scandaleux.

Faut-il tout dire ? Cet homme d'un esprit critique si mordant est superstitieux. Il ne l'avoue pas, mais nous le sentons tous et je le vois à bien des traits. Il ne veut pas allumer sa cigarette en troisième à la même flamme. Il touche du bois quand il redoute quelque éventualité fâcheuse. Il porte en breloque une amulette arabe dont il ne se séparerait pour rien au monde. Charles Richet l'a prié comme invité d'honneur au fameux banquet des 13. Rohner a d'abord accepté, puis il s'est fait excuser, à la dernière minute.

A propos de Richet, que je te raconte une histoire. Je suis entré l'autre jour dans l'amphi de l'école pratique. Charles Richet donnait son cours. Grand, maigre, un œil à moitié clos par une grimace bien sympathique, la main dans la poche-gousset de son pantalon, il allait, de long en large, devant le tableau noir. A certain moment, et comme le préparateur venait de couper la tête d'une grenouille pour je ne sais quelle expérience, Richet s'est précipité sur la tête de la bestiole : « Attendez, attendez, disait-il, je vais détruire la substance cérébrale qui reste dans ce débris. Inutile de laisser de la douleur derrière nous. » Il a fait ce qu'il venait de dire, de ses doigts attentifs.

J'étais touché, car tout cela était dit et mis en pratique avec une simplicité parfaite.

Ne crois pas que je cherche une opposition facile. Charles Richet est très grand, et dans plusieurs dimensions de l'esprit. Rohner est grand aussi, je te l'assure, malgré le portrait que je viens d'esquisser. Je vois ses manques et, si je les signale, c'est un peu par représailles, car je trouve Rohner terrible avec mon bon et cher patron. M. Chalgrin reconnaît parfois que Rohner est un homme d'intelligence exceptionnelle. Générosité sans réciproque. M. Rohner marque à tout propos qu'il tient M. Chalgrin pour un parfait imbécile. — J'hésite à écrire le mot, tant il me blesse et m'offusque. Il a des réflexions d'une perfidie exquise. Il siffle, par exemple : « Pour une belle carrière, c'est une belle carrière. M. Chalgrin est de ceux qui n'ont rien fait pour ne pas arriver. »

Je détourne la tête comme si je ne comprenais pas et je m'esquive à la première porte ouverte. Ma position devient de plus en plus délicate. Pourrai-je la conserver longtemps ? Je ne sais. J'ai parfois le sentiment que M. Rohner espère faire parvenir à M. Chalgrin, par mon humble intermédiaire, quelques-uns de ses messages les plus venimeux. Il calcule mal et, s'il découvre un jour qu'il s'est trompé, je crois qu'il m'en voudra beaucoup.

Allons, ne te méprends pas sur mes propos. Je te répète que M. Rohner est un homme de haute valeur. M. Chalgrin aussi est un homme admirable. Mais quelle dissemblance! Oui, je sais, plus tard, quand ils seront morts tous deux et que les siècles auront passé, les deux crânes, les deux vases de pierre, se ressembleront peut-être. En ce moment, autour de ces vases, dans ces vases palpite la matière vivante et, dans cette matière, grondent les âmes, ces deux âmes adverses qui ne peuvent pas ne point se faire souffrir.

Je me dépêche de fermer cette lettre. Il fait très froid dans ma turne. La nuit avance et je suis las.

Ton L.

CHAPITRE XIII

L'INDULGENCE ET LA CHARITÉ. L'ARAIGNÉE DANS
SON ABÎME. PROPOS SUR LES POISONS. SÉNAC FAIT
CE QU'IL FAIT. PRIER EST UN VERBE TRANSITIF.
RÉSURRECTION DE TESTEVEL. INFLUENCE DU CLI-
MAT MORAL SUR LES RECHERCHES SCIENTIFIQUES.
TOURMENTS DE M. CHALGRIN. COLÈRE DU PROFES-
SEUR ROHNER. UNE TRISTE NOUVELLE!

Malgré les expressions de répugnance que tu
multiplies dans ta dernière lettre, à l'adresse de
Jean-Paul Sénac, j'entends bien que tu voudrais
savoir quelque chose de lui. Je vois bien que mon
silence te donne de l'inquiétude. Je comprends
même que ton aversion n'exclut pas la charité,
qu'il ne faut d'ailleurs pas confondre avec l'indulgence. Et je peux te dire tout de suite que la charité me semble opportune puisqu'il s'agit de Sénac.

Je suis resté plusieurs jours sans le voir et j'en
étais étonné, car il vient parfois déjeuner chez
Papillon, d'autres fois il monte dans ma chambre,
s'il apprend de ma concierge qu'il a chance de m'y
trouver. Il vient aussi me voir à l'Institut, où je ne
lui fais pas trop bon accueil, ce dont il se console
avec Roch, Vuillaume et Sauvignet, avec Sauvignet surtout, qui ne laisse pas d'expérimenter sur
Jean-Paul ses virus intellectuels.

Je suis donc resté plusieurs jours sans nouvelles de Sénac et j'y songeais, un matin de la semaine dernière, en cherchant je ne sais plus quoi dans la réserve du matériel. Il y avait là des verres, des tubes, des ampoules, des mortiers, des capsules, des éprouvettes. Au milieu de tout cela, une grande cuve de porcelaine blanche dont on ne se sert jamais. Je la regarde au passage et j'aperçois, dans le fond, une araignée. J'imagine qu'elle était tombée là, par hasard, au cours d'un exercice de voltige, et qu'elle ne pouvait plus s'en évader, que ses pattes ne mordaient pas sur l'émail de la cuve et qu'elle ne pouvait compter sur aucun secours extérieur. Elle a fait, en me voyant, quatre ou cinq pas, de cet air brusque, décidé, terriblement intelligent des araignées. Puis elle est retournée de la même allure, au plus creux de son abîme. Je l'imaginais ou, pour mieux dire, je m'imaginais, seul, perdu, sans voix, sans ami, dans un désespérant paysage de porcelaine aux frontières infranchissables. Et j'en étais là de ma rêverie quand Sternovitch est venu me chercher pour je ne sais plus quelle raison qu'il disait pressante. J'ai suivi Sternovitch, mais je pensais à l'araignée et, chose impossible à t'expliquer, je pensais en même temps à Sénac. J'y pensais si bien qu'à midi j'ai pris l'omnibus et je suis allé chercher Sénac dans le fond de son impasse. Secrètement, j'espérais de ne pas le trouver, non par lâcheté, je t'assure, mais parce que cette solitude qu'il chérit m'effraie pour lui. Je ne peux sans malaise l'imaginer aux prises avec ses pensées.

Sénac, hélas! était chez lui. Je crois qu'il avait dû battre ses chiens, ou les caresser peut-être, car il était plein de poil. Il m'a dit, tout uniment :

— Tu peux entrer, je t'attendais.

— Tu m'attendais! Pourquoi ?

Des épaules, Sénac a fait un mouvement vague et, tout aussitôt, sans transition :

— Tu sais que Chalgrin m'a plaqué, oui, congédié, comme un simple domestique.

M. Chalgrin ne m'avait rien dit. Qu'aurait-il pu me dire ? J'ai murmuré :

— Je ne le savais pas.

Alors, Sénac :

— Il m'a fait parvenir un mois d'appointements, ce qui prouve qu'il est dans son tort. N'importe, grâce à cette insolente libéralité, nous mangeons, les cabots, le pigeon et moi. Nous allons manger quelque temps.

Il y avait, sur la table, une bouteille d'eau-de-vie blanche, de cette saleté que les débardeurs appellent du casse-pattes. Je n'ai pu me retenir de la montrer du doigt :

— Tu manges et tu bois, Jean-Paul !

Il a pris son ton raisonneur :

— Impossible de vivre sans poison. L'homme est un animal qui ne peut pas ne pas s'empoisonner. Même les sauvages, tu m'entends bien. Les Chinois, c'est l'opium ; les Arabes, le haschisch ; les autres, en Amérique, la coca, la kola, toutes sortes de saloperies. Nous, les Blancs, c'est l'alcool et le tabac. Et voilà ! Ceux qui ne prennent rien, c'est qu'ils s'enivrent de leur salive, comme disait Vallès, c'est qu'ils se soûlent de leur propre venin, avec leurs idées, avec leurs manies. Pas moyen de faire autrement.

Il n'avait pas l'accent goguenard, mais soudain si triste que je l'ai pris par le bras et que je l'ai secoué.

— Non, non, disais-je. Tout cela est idiot. Viens déjeuner avec moi. Tu connais bien, par ici, un caboulot raisonnable.

Nous sommes partis, tous deux, tandis que les chiens hurlaient et sautaient contre la porte. — Ils ont enlevé toute la peinture, à l'intérieur, avec leurs ongles. — Sénac murmurait, d'une voix chevrotante :

— Si tu me fais un reproche, un seul petit reproche, Laurent, je me jette la tête contre le mur.
Non! Je veux qu'on me laisse tranquille avec ma
misère.

— Mon pauvre Jean-Paul, je ne suis pas venu
pour te faire des reproches, au contraire.

J'ai commencé de lui parler très doucement dans
l'espoir de le calmer :

— Vois-tu, mon vieux, il ne faut rien exagérer.
Tu as eu tort, dans cette malheureuse histoire
Chalgrin. Mais j'ai bien réfléchi : tu ne voulais pas
faire ce qu'on appelle une indélicatesse, même pas
une indiscrétion. D'ailleurs, sans toi, sans ton intervention, le conflit Chalgrin-Rohner aurait peut-
être éclaté quand même.

Je parlais ainsi, contre mon sentiment profond,
dans le dessein de l'apaiser, et, soudain, j'ai compris
que je faisais fausse route, que le démon de l'orgueil ne se laisserait pas endormir et lier. La moustache noire de Jean-Paul s'est prise à trembler. Il
a rougi faiblement.

— Eh bien, non, disait-il, n'essaie pas de me faire
passer pour un enfant de chœur qui a bu par distraction tout le contenu des burettes. Non, non,
je suis un cochon. Moi, d'abord, j'ai une conscience.
Les autres font le mal, d'instinct et sans y rien
comprendre, comme les animaux. Non! Moi, je
comprends ce que je fais. Je suis un cochon, c'est
entendu. Mais je ne l'ignore pas. Nous sommes
tous plus ou moins des cochons ; moi, je suis le seul
à dire que je ne suis qu'un cochon.

J'étais si bien déconcerté que je ne trouvais rien
à répondre. Nous sommes entrés chez un petit
traiteur et nous nous sommes attablés dans l'ar-
rière-boutique, déserte à ce moment-là. Durant
tout le repas, Sénac a parlé, seul, avec une bien
triste volubilité. Ce long monologue tournait
autour de la même pensée. Il proférait d'une

voix mouillée les aphorismes du plus pur séna-
cisme :

— Je suis capable de pensées basses. Ce n'est pas
juste. Attends, attends que je m'explique. Toutes les
choses que je pense, vous les pensez sûrement aussi,
vous autres, les vertueux, seulement vous n'y
comprenez rien. Vous êtes pleins de complaisance
pour vous-mêmes, vous jugez toutes vos abomi-
nations avec mansuétude et ravissement. Moi, je
vois clair et j'éprouve pour ma personne morale
une véritable haine. J'ai dit : ce n'est pas juste!
Qu'est-ce que cela signifie? Cela signifie, mon cher,
que je n'ai pas la chance d'être, comme les autres,
aveugle et satisfait.

Quand nous nous sommes quittés, un peu plus
tard, dans la rue, Sénac a dit encore :

Je serais tout aussi capable qu'un autre de
faire de bonnes actions. Tiens! je vais partir pour
Messine, j'aiderai à soigner les sinistrés, à reconstruire la ville. Parole! Je vais partir. Il ne faudrait
pas me mettre au défi.

Il avait le regard noyé. La bouche pleine de
salive. Je l'observais à la dérobée, pour ne l'exciter
en rien, et il me semblait apercevoir, en regardant
ce visage d'homme malade et malheureux, le démon de l'orgueil acharné sur sa victime.

Je suis parti le long des trottoirs, et j'ai longuement réfléchi. Que faire? Peut-on sauver Sénac?
N'est-il pas trop tard? J'y pensais avec tant de
force que j'éprouvais le besoin de m'adresser à
quelqu'un, de former, phrase à phrase, une sorte
de véhémente prière. Allons, n'abusons pas des
termes. Prier est un verbe transitif.

Le soir, en revenant de l'Institut, j'ai fait, que je
te le dise quand même, un saut jusqu'au Collège.
Je possède une clef du laboratoire. Je suis allé dans
la réserve et j'ai regardé la cuve de porcelaine.
L'araignée était toujours là, plongée dans sa médi-

tation d'araignée. J'ai retourné la cuve et la bête
a pris la fuite.

Malheureusement, pour Sénac, ce n'est pas aussi
facile. Ce jour était d'ailleurs un mauvais jour.
En sortant de chez Papillon, le soir, vers huit
heures, j'ai trouvé Testevel qui m'attendait en
arpentant le trottoir, sous la pluie. Il m'a demandé
s'il pouvait m'accompagner jusque chez moi. J'ai
fait semblant de lui rire au nez. J'étais quand même
assez troublé. Testevel, notre géant au visage rose,
était hirsute, blême et défiguré par un collier de
barbe. Il avait mis des vêtements noirs. Il marchait
à mes côtés et soufflait comme un asthmatique. En
arrivant rue du Sommerard, il a retiré son feutre
et s'est essuyé le front.

— En somme, disait-il, ce n'est pas la peine que
je monte pour ce qui me reste à te dire.

Alors, avec de grands efforts, Testevel a murmuré :

— Je quitte la France. Je pars demain pour
Saïgon.

— Pour Saïgon ?

— Oui, je serai rédacteur en chef d'un journal
du pays. Quoi qu'il arrive, je ne peux pas être
plus misérable qu'ici.

Je restais immobile, sous un bec de gaz, regardant la pauvre figure de notre vieux camarade. Il
se tirait avec peine des bribes de phrases du fond
de l'être.

— Je lui ai écrit.

— A qui ? mon pauvre ami.

— A Suzanne. Je ne veux pas la revoir. Ma
cabine est retenue. J'ai mon billet de chemin de fer.
Les traités sont signés. Non, je ne veux pas revoir
Suzanne. Quant à Larseneur, ça ne lui portera pas
chance.

Je cherchais des consolations et, soudain, j'ai
vu notre Testevel se redresser, se déplier, fibre à

fibre. Il a poussé un long soupir et il a dit avec beaucoup de calme :

— On va tâcher de redevenir un homme.

Je peux t'avouer qu'à ce moment Testevel m'a paru très respectable. Je voulais lui serrer la main pour ne pas m'attendrir, mais il m'a très simplement embrassé. Puis il est parti, les mains nouées derrière le dos. J'apercevais les deux doigts qui lui restent raides depuis qu'il se les est fait pincer dans la presse, au Désert. Il ne s'est jamais tout à fait rétabli. Il est infirme à demi.

En remontant chez moi pour y passer la soirée à travailler de mon mieux, je me disais que le monde n'est pas construit pour l'équilibre. Le monde est désordre. L'équilibre n'est pas la règle, c'est l'exception. Et je faisais le serment de travailler pour l'ordre et l'équilibre. Que de serments! Tu vas sourire.

Toutes ces histoires tombent fort mal. Je suis dans un moment de grand travail. Que je te le dise tout de suite, le patron a repris toutes les expériences de Rohner, — tu te rappelles qu'il s'agit de la transformation d'une certaine moisissure en un bâtonnet présentant les caractères du bacille tuberculeux et qui lui-même se transforme en éléments arrondis, en *cocci*, pour employer le terme exact. — Or, les essais du patron ne concordent aucunement avec les observations présentées dans le mémoire de Rohner, en sorte que M. Chalgrin se prépare à publier une sévère critique dudit mémoire. Je peux t'avouer, de façon confidentielle, que je fais, pour mon propre enseignement, des recherches en ce sens et sans en rien dire à mes chefs. Les résultats sont troublants. Chez Rohner, à l'Institut, je réussis mes expériences et je les rate chez Chalgrin. Faut-il voir là quelque influence du climat moral, de la conviction, je ne sais trop.

M. Chalgrin m'inquiète. Il souffre de cette que-

relle. Il a des accidents cardiaques pour lesquels il
ne veut consulter personne et qui ne laissent pas
d'altérer son caractère. Il exige qu'on l'aime, car
c'est un sentimental. Il en devient tyrannique. Il
travaille avec ardeur et je crois qu'il est sur le
point de découvrir quelque chose de considérable.
Il va tous les jours dans les hôpitaux. J'attends,
pour te parler de cela, qu'une certitude se fasse
jour. Je souffre de voir cet homme si calme, cet
homme que j'ai bien des raisons de mettre si haut,
s'abandonner à des mouvements d'humeur qui
ne sont pas dignes de lui. Parfois, il nous dit, sans
le moindre préambule :

— J'en suis à me demander si je vais continuer
à le saluer. L'autre jour, à l'Académie, ce monsieur
a fait semblant de ne pas me voir. S'il ne me salue
pas le premier, je ne le saluerai plus.

M. Chalgrin ne refuse pas le combat, mais il ne
me semble pas trop bien armé pour prendre l'avantage. Il plaisante, il tâche à sourire. Il n'y parvient
pas toujours.

J'ai lu, je ne sais où, que Victor Hugo traitait
Goethe, en paroles, avec une parfaite désinvolture.
Il disait : « Goethe ? Qu'a-t-il fait ? *Les Brigands?* »
Et quand on lui disait que *Les Brigands* étaient de
Schiller, il s'esclaffait : « Vous voyez, il n'a fait que
cela et ce n'est même pas de lui. »

J'ai longtemps pensé que ces propos ridicules
étaient prêtés par la chronique scandaleuse à notre
poète, mais que Hugo n'avait pu les prononcer,
parce que les grands hommes savent mieux que
les autres reconnaître la beauté, la vérité, le mérite.
Hélas! Je ne sais plus que penser. M. Chalgrin dit
parfois : « Que M. Rohner serait heureux s'il trouvait quelque chose, s'il faisait vraiment une petite
découverte! » De telles phrases me blessent. Rohner
est brutal, il a mauvais caractère ; mais il a fait
des travaux qui le classent au premier rang. Tout

le monde l'admet, sauf M. Chalgrin. Il y a trois ou quatre hommes qui peuvent comprendre aujourd'hui la valeur des travaux de Rohner, et M. Chalgrin est un de ces trois ou quatre hommes!

S'il devine, s'il croit deviner que l'on hésite, si peu que ce soit, à l'encourager dans l'injustice, mon cher patron devient nerveux. Lui qui est naturellement tendre, il se prend à parler sec. Je n'oserais pas risquer le moindre reproche. Je me contente de le regarder avec douleur. Il l'a senti, l'autre jour, il a fait effort pour sourire et m'a dit cette phrase qu'il considérait peut-être comme une excuse :

— Pasteur, lui non plus, n'était pas toujours commode avec nous autres.

Il a compris ce que ce « lui non plus » supposait d'immodestie. Il a souri, d'un air gêné, puis il a, de la main, ébauché un geste vague.

Il attendait les décisions du comité, pour le congrès, en répétant volontiers : « J'ai beaucoup trop de travail. Je demande que l'on m'oublie. » Pourtant, il avait des battements de cœur et se renseignait indirectement sur l'opinion des uns et des autres. Ce congrès, je te l'ai dit, groupe diverses sociétés savantes et les délibérations du comité restaient assez obscures jusqu'à ces derniers jours.

Elles sont terminées et il faut que je t'en parle pour te rendre intelligible cette étrange comédie.

Nous étions réunis, hier, dans le laboratoire de M. Rohner, Vuillaume, Sauvignet et moi. Roch est entré, son chapeau à la main, son paletot sur les épaules, les souliers fort boueux, comme un homme qui vient de trotter dans le patouillat, à bonne allure. J'ai tout de suite compris que M. Rohner attendait l'arrivée de Roch. Ses traits se sont crispés. Il a fait cette grimace qui lui tire les coins de la bouche et qui le rend méconnaissable. Il n'a dit qu'un très petit mot :

— Alors ?

Roch a haussé les épaules et a répondu d'une voix qu'il voulait indifférente, peut-être pour atténuer le coup :

— M. Chalgrin est nommé.

Je suis obligé d'avouer que le visage de M. Rohner est devenu soudain très laid. J'étais profondément surpris de voir un homme d'un tel caractère abandonner ainsi toute maîtrise de soi. Avec son index gauche, il remontait les poils de sa mouche entre ses dents et les mordait. Il a crié :

— C'est un intrigant ! Nous le savions ! Il n'est entré à l'Académie des sciences que parce que je l'ai bien voulu. Si je m'y étais opposé sérieusement, il serait encore à la porte. Mais puisqu'il veut la guerre, eh bien, ce sera la guerre. Je le briserai, comme... comme...

M. Rohner cherchait, de l'œil, quelque objet fragile et il s'est emparé d'une petite bouteille vide qui se trouvait sur la table. Il répétait :

— Je le briserai comme cette bouteille !

Il a jeté la bouteille par terre, d'un geste furieux. Et il s'est passé la chose la plus ridicule du monde : la bouteille a rebondi deux ou trois fois et ne s'est point cassée. Finalement, elle a roulé comme une bille jusqu'à l'angle de la pièce.

Nous avions tous envie de rire, et nous faisions de grands efforts pour n'en rien laisser paraître.

Je n'ai pas fait partir cette lettre hier. J'ouvre l'enveloppe à la hâte pour te dire une nouvelle qui me touche vraiment au cœur.

Catherine Houdoire est malade. Elle a pris cette maladie dont je t'ai parlé, cette maladie que M. Rohner étudie sur le cobaye. Comme elle n'a pas de famille, nous l'avons fait admettre à l'hôpital Pasteur, où l'on a pu lui donner une chambre d'isolement. Elle a une grosse angine, avec une fièvre élevée. J'ai prévenu M. Rohner. J'étais bouleversé. Je ne le cachais pas. M. Rohner a tiré sur les articulations de ses doigts et il a dit tout simplement : « Elle va faire une néphrite, d'abord, puis une belle endocardite. » J'attendais d'autres paroles. Un mot de sympathie, peut-être. M. Rohner n'a rien ajouté de plus. Je ne peux te dire comme je suis triste et tourmenté.

CHAPITRE XIV

MALADIE DE CATHERINE HOUDOIRE. LE BAISER AU
LÉPREUX. UNE EXPÉRIENCE QUI NE MARCHE PAS.
BEAUTÉS DE LA PROPHYLAXIE. NOTE SUR LES VIRUS
FILTRANTS. LE MEILLEUR DES RÉGIMES POLITIQUES.
DANGERS DE L'ADMINISTRATION. PETIT INCIDENT
À L'ACADÉMIE DES SCIENCES. LA QUERELLE REPREND
FLAMME. LA JUSTICE AVANT TOUT. OPINION DE
M. CHALGRIN SUR LA DIVINITÉ DU CHRIST. JUSTIN
ESTE DE MOINS EN MOINS RAISONNABLE.

Pendant toute notre jeunesse, nous avons, l'un
et l'autre, vieux Justin, et pour des raisons différentes, invectivé contre la famille, ses lois et sa
tyrannie. Je pense aujourd'hui que Catherine Houdoire serait très contente d'être tyrannisée par
quelque opiniâtre et jacassante famille. Il n'en est
malheureusement rien. Elle a perdu ses parents
de bonne heure et s'est trouvée remise aux soins
d'une cousine dont elle ne parle pas sans effroi.
Puis elle a tenté divers métiers, puis est venu le
mariage avec un aventurier et, maintenant, cette
solitude, cet abandon qui m'ont ému dès le premier
regard.

Je vais la voir chaque jour au début de l'après-
midi. Je retourne souvent lui faire une courte visite
avant de quitter l'Institut. Elle parle naturellement

peu. L'angine, qui n'est pas terminée, la rend encore plus taciturne. Elle a beaucoup de fièvre et, le soir, de fines gouttelettes de sueur se forment sur ses tempes et ses narines. Elle me regarde avec un faible sourire à demi fraternel, à demi maternel : elle a, je pense, cinq ou six ans de plus que moi. Je lui ai, deux fois, apporté des fleurs. J'en apporterais bien chaque jour ; seulement, on me connaît à l'Institut. C'est une maison terriblement sérieuse et peu sentimentale. J'ai honte de jouer les amoureux, puisque je ne suis qu'un ami.

Le premier soir, au moment de me retirer, j'ai vu, sur le drap, la longue main de Catherine : c'est une main de travailleuse, mais une main très bien faite, belle et pleine de noblesse. J'ai saisi cette main et l'ai baisée, affectueusement. Catherine l'a retirée tout de suite. Elle disait, d'une voix altérée par la maladie :

— Vous êtes fou! Vous voulez donc tomber malade.

J'ai souri, j'ai secoué la tête ; toutefois, en m'en allant, je suis retourné dans mon laboratoire et je me suis lavé la bouche et les lèvres, puis je me suis brossé les mains. Je te le dis pour ne te rien cacher. Nous sommes terriblement déformés par notre métier, nous autres. Le baiser au lépreux... Oui, je comprends qu'on ait une sincère envie de le donner, ce baiser. Je comprends qu'on ait aussi l'impérieux besoin de prendre ensuite les précautions rituelles. Entends-moi bien : nous savons, nous ne pouvons pas ne pas savoir ce que nous risquons parfois. L'héroïsme total, que j'admire par-dessus tout, bénéficie ingénument de l'ignorance.

Chaque soir, maintenant, je baise la main de Catherine et, en sortant, je tire de ma serviette une petite compresse imbibée d'alcool... Pardonnez-moi, Justin. Tu vois que je ne te cache rien.

Catherine est soignée par Lespinois qui est un

homme de grande valeur. N'empêche que Rohner vient presque chaque jour. Je pense que la sympathie humaine est pour bien peu dans cette sollicitude. Rohner ausculte le cœur et recherche l'albumine. Il fronce un peu le sourcil et dit, chaque fois : « Rien encore. » Il devrait être satisfait ; il a l'air agacé, presque colère. Je vois bien que, pour lui, cette expérience imprévue ne marche pas comme il l'entendait et il n'en fait pas mystère.

Je te l'ai dit, si ma situation officielle est à l'Institut, je me plais au Collège et j'y passe mes matinées. J'y reviens parfois le soir et surtout le dimanche. J'ai cru, pendant plus d'une semaine, que les choses allaient s'arranger, qu'un miracle allait se produire, que l'orage querelleur allait se dissiper, se dissoudre, déserter notre ciel. M. Chalgrin semblait heureux ou, plus exactement, affranchi. Je t'ai dit qu'il poursuit en ce moment des travaux de haute importance. Il est sur le point de trouver non pas une méthode pour traiter la coqueluche, mais une méthode pour prévenir cette odieuse maladie, une méthode prophylactique. J'espère que ces mots, que je ne peux pas ne pas employer, ne te décourageant pas de me lire. M. Chalgrin dit que tout acte thérapeutique — encore le vocabulaire — est une bataille et qu'une bataille coûte cher, même à celui qui la gagne. Pour détruire l'ennemi, c'est-à-dire le germe infectieux, il est parfois nécessaire de ravager le territoire envahi. La plupart des médicaments actifs sont terribles : ils apportent le calme ou le salut, mais à quel prix! Certains réveillent toutes nos misères avant que de nous délivrer. Ils traversent l'organisme, à la poursuite de l'adversaire, pillant, brûlant et dévorant tout sur leur passage, comme une troupe de soudards. Le patron ne dit pas qu'il faut se détourner de la thérapeutique, certes non, car il y aura toujours des malades à soigner; toutefois il pense que l'avenir des sciences médicales est dans la prévention des maladies, que la prévention ne tire aucune traite sur l'organisme, que c'est une victoire remportée hors des frontières, qu'elle satisfait en même temps la science et la morale, qu'elle représente la charité suprême, celle qui n'a pas lieu de racheter et de sauver, puisqu'elle anéantit le péril même avant l'offensive.

Ces recherches sur la coqueluche vont durer plusieurs mois encore. Rien n'en doit être publié. La discrétion nous est, naturellement, recommandée. Si je t'en dis quelque chose, cher Justin, c'est donc en secret et pour te faire aimer M. Chalgrin. Le virus de la coqueluche est, comme celui de la rougeole, de la scarlatine, de la variole et de beaucoup d'autres maladies, un virus filtrant. Cela signifie que le microbe est très petit, invisible dans l'état actuel de la science optique, si petit qu'il passe à travers les filtres les plus fins. Rien de plus émouvant que ce combat contre un ennemi qu'on ne peut apercevoir, qu'on ne peut même pas cultiver *in vitro*, contre un ennemi tout aussi insaisissable qu'une pensée ou que le génie du mal en personne. Excuse mon enthousiasme, vieux frère : j'admire M. Chalgrin, je l'aime et je voudrais te faire partager ou tout au moins mesurer ma ferveur et ma joie

Nous travaillons donc. Je poursuis mes essais en vue de ma thèse et je fais, pour le patron, toutes sortes de menues recherches. M. Chalgrin, quand nous sommes ensemble, referme parfois le cahier de notes, me regarde d'un œil un peu trouble parce qu'il s'est désaccommodé sous l'effort des pensées, et il se prend à sourire.

— Oui, dit-il, on travaille, on peut travailler. Pour nous, c'est le principal. Voyez-vous, Pasquier, il n'y a pas de bon régime politique. Tous ont leurs vices et leurs inconvénients. Le meilleur, à mon sens, ou plutôt le moins mauvais, c'est celui qui gêne le moins l'individu, celui qui laisse l'individu libre d'excercer avec fruits ses vertus cardinales.

S'il est en veine de confidence, le patron repart, d'une voix presque insensible, tant elle est légère et voletante. Il dit :

— Travailler est la seule manière de rendre la vie supportable. Il n'y a pas de repos. Les esprits de bonne étoffe se reposent en travaillant. Le péril, pour les hommes de notre état, c'est l'administration. Vous ne comprenez pas bien, mon ami, parce que vous êtes encore trop jeune. Vous allez avancer dans la vie et on va commencer à vous pousser à des places dont certaines sont honorifiques et d'autres matériellement avantageuses. Vous serez conduit à prendre des directions, des présidences... La science a besoin d'être administrée, je le sais ; mais l'administration étouffe le génie créateur. Voyez M. Roux, il ne fait plus rien et c'est un grand malheur. Il dirige une maison illustre, il mène, dans les champs de la connaissance, paître un troupeau de chercheurs, mais il n'est plus un chercheur. Censier déclarait un jour devant moi que si l'on se laisse gagner par l'administration, c'est que l'on n'a plus rien à dire, c'est qu'on a perdu le flair et le sens de la découverte. Je n'en suis pas sûr du tout. On est conduit là par le besoin d'argent, par le besoin de gloire, de considération, de titres et de rubans. On pense, on croit que l'on pourra sauver la flamme admirable, l'étincelle du génie, et l'on s'embourbe jour à jour dans une foule de besognes qui vous paralysent, vous étouffent et qui, surtout, vous deviennent presque nécessaires. On prend aussi l'habitude, Pasquier, d'être appelé M. le président, ou M. l'administrateur, ou M. le directeur. On se plaît au pouvoir temporel. On dit chaque jour : « Je ne désire plus rien » et, chaque jour, une autre raison se présente de solliciter ou d'accepter quelque nouvelle charge. On hésite à peine. On accepte. Les académies elles-mêmes, vous le comprendrez plus tard, mon ami, les académies, qui sont de très honorables et glorieuses compagnies, représentent un des plus brillants appâts du démon administratif. Attention! Sauvons la recherche! Qu'elle vogue, le nez au vent, légère, inconnue, méconnue, seule précieuse, seule enviable!

Voilà de ces paroles que j'écoute d'une oreille séduite, car elles me confirment dans toutes mes résolutions. Ce que je ne comprends guère, c'est que le patron n'en continue pas moins d'accepter des directions, des présidences, des charges et des fauteuils. Il doit y avoir, dans la vie des hommes vieillissants, des mystères que je ne suis pas pressé d'éclaircir, des mystères que j'aimerais mieux ne jamais approcher et résoudre.

Je me laisse aller à te rapporter pêle-mêle toutes sortes de traits, de mots et de pensées qui peuvent sembler disparates. Cher Justin, tu m'aimes assez pour, dans cet apparent désordre, trouver le fil conducteur, saisir le fil de ma vie.

Je viens de te raconter au présent, tant mon cœur les souhaitait durables, de belles heures illuminantes qui déjà s'éloignent, se perdent. La journée de lundi dernier a été marquée par un petit événement qui n'a frappé sans doute personne et qui me contrarie quand même beaucoup. Ces deux messieurs, Chalgrin et Rohner, se sont vus à l'Académie des sciences et ne se sont pas salués. Sauvignet m'a raconté l'incident le soir même, car il accompagne presque toujours M. Rohner aux séances ; il porte la serviette, les documents, les appareils au besoin. Il paraît que M. Chalgrin était arrivé le premier et qu'il y avait encore peu de monde quand Rohner est entré. Il est allé saluer Richet et Picard. Il a dû passer, pour ce faire, à deux mètres de Chalgrin. Il n'a même pas eu l'air

161

Les maîtres.   11

de l'apercevoir. Je vais parfois, en modeste specta-
teur, dans cet endroit, pour accompagner mes
patrons. Je sais qu'entre confrères on ne se salue
pas toujours, surtout si l'on se trouve occupé. Mais
Rohner a dû — je le connais, le monstre — aggraver cette négligence de quelque maligne ostentation.

Dès le lendemain matin, j'ai senti que Chalgrin
était blessé, que l'armistice était rompu, que la
querelle reprenait flamme. Le patron a passé la
matinée à mettre au point la notice dans laquelle
il raconte certaines expériences qui semblent in-
firmer les idées de Rohner sur le polymorphisme
microbien — tu vois ce que je veux dire, il s'agit
des transformations de certaines moisissures microscopiques. — Le patron ne refuse pas de
lutter ; il le fait sans ardeur. Le voici, de nouveau,
triste et même abattu. Parfois, il sort d'une songe-
rie et dit tout à trac : « Vous savez qu'il ne doit
même pas se relire... » Je comprends qu'il s'agit de
Rohner. Le patron ne prononce plus jamais le nom
de Rohner. Il dit : il... le... lui... Cela montre la
place que cette absurde chamaille occupe dans ses
pensées. J'ai d'ailleurs observé, chez Rohner,
quelque chose d'analogue. Dans les commencements, il affectait d'articuler le nom de M. Chalgrin
en l'estropiant ; maintenant, il ne le prononce
même plus, il dit : « ce monsieur » ou même « le
biologiste amateur » ou encore « notre rationaliste à la flan... ». Rohner parle de Chalgrin avec un
mépris outrageant ; toutefois il ne s'exprime par
écrit, jusqu'à l'heure actuelle du moins, qu'avec
une stricte et perfide prudence.

Je lui ai dit, hier — entends-moi, c'est de Rohner
que je parle —, je lui ai dit que la pauvre Catherine
semblait, d'après ce que déclare Lespinois, faire une
localisation pleurale, autrement dit une pleurésie.
M. Rohner a levé les sourcils d'un air étonné,
furieux. Il grondait : « Pourquoi ? C'est presque

impossible! C'est tout au moins absurde! » Que ce biologiste est loin de la vie, de la vie vivante et souffrante!

M. Chalgrin me fait de la peine. Il murmurait, hier, parlant comme pour lui-même : « Un homme supérieur! Un homme supérieur! Qu'est-ce que cela veut dire? Supérieur à qui, à quoi? » Un moment plus tard, il nous a dit — Fauvet et Sternovitch étaient là — il nous a dit avec lassitude :

— Il y a des gens qui envient mon existence! Ils ne savent pas ce que c'est que mon existence.

Ce soupir de faiblesse m'a presque irrité. J'ai crié soudain :

— Patron, vous n'êtes pas juste! Vous avez tant d'amis, tant d'admirateurs! Tout le monde parle de vous avec affection et respect, avec éloge et confiance.

Il a haussé doucement les épaules :

— Oh! les éloges!

Il a dû comprendre que ses paroles offensaient, blessaient, au fond de mon cœur, l'image que je me fais de lui. Quelques instants plus tard, après le départ de Sternovitch et de Richard, il est venu me rendre une petite visite. Il disait :

— Je ne suis pas bien, depuis quelques jours. Je devrais surveiller ma tension. Il faudra que je me soigne. D'Arsonval me conseille d'essayer la haute fréquence.

Et, tout à coup, sans le moindre souci de lier les idées :

— S'il se présente à l'Académie de médecine — vous savez de qui je parle — il n'aura pas de plus sûr appui que moi-même. Je sais qu'il me hait. Moi, je ne le hais point et je mets la justice avant tout.

J'écoutais sans interrompre, même d'un mot, même d'un sourire, ces réflexions brisées. Le patron a dit encore :

— Je suis président de la Société des Études rationalistes. Cela ne signifie aucunement que j'oublie mes origines chrétiennes. Je ne crois pas en Dieu, Pasquier, mais le Christ est la plus belle œuvre de l'humanité. Des millions et des millions d'hommes ont mis des milliers d'années pour faire un Dieu, pour composer, de tous leurs rêves et de toutes leurs espérances, un Dieu. C'est un phénomène respectable. Ceux qui ne le comprennent pas sont de médiocres observateurs. Aujourd'hui, le christianisme est en péril. Il s'est encombré de trop de choses. Il traîne avec soi toutes les fables orientales de l'Ancien Testament, comme si l'on devait sauver tout ce sublime bric-à-brac. C'est une grande faute. Il faut sauver l'essentiel. Il faut sauver cette idée d'un dieu humain et charitable qui s'est cristallisée dans les âmes au prix de tant de souffrances. Et, pour sauver l'essentiel du christianisme, s'il faut consentir à sacrifier quelques vieilles légendes barbares, vraiment, qu'est-ce que cela peut faire?

Il a continué de rêver, pour lui seul, et son regard m'a quitté.

Voilà. Je vais achever cette lettre. Catherine m'inquiète. Cette maladie risque de l'affaiblir beaucoup, peut-être même de lui gâter tout à fait la santé, de compromettre son avenir. Je ne peux supporter la détresse que je lis dans son regard. Au revoir, mon vieil ami. Que la paix soit avec toi!

Ton Laurent.

P.-S. — Ta lettre arrive et j'ajoute un mot à celle que j'allais t'envoyer. Comment sais-tu que Richard Fauvet sort avec Cécile et en quoi cela peut-il t'alarmer? Fauvet aime la musique, je pense te l'avoir dit. Il voit Cécile pour des expériences qui traînent un peu, mais que Cécile tolère

à ma prière et qui même pourraient devenir intéressantes : Fauvet n'est pas loin de croire que certaines de ses colonies obéissent, dans leur dévelop-
pement, à une sorte de phonotropisme positif. Le
patron lui-même hoche la tête et dit que c'est
intéressant. Il est tout à fait possible que Cécile et
Fauvet aient été tous deux au concert. Moi qui vis à
Paris et qui vois souvent ma sœur, je ne sais rien
de ces sorties. Toi qui t'es volontairement éloigné de
tous tes amis pour vivre, selon tes vœux, humble-
ment, parmi les travailleurs, tu sais tout ce qui se
passe ici, tu t'agites et tu t'exprimes avec beaucoup
d'amertume au sujet de faits qui n'ont aucune
importance. Sais-tu seulement qu'après la chute de
notre phalanstère de Bièvres, Sénac a composé
plusieurs poèmes en l'honneur de Cécile et qu'il
allait les lui porter et les lui lire ? Cécile a beaucoup
d'admirateurs et d'amis. C'est tout à fait naturel.
Justin, Justin, je voudrais oser te dire que tu n'es
pas raisonnable.

CHAPITRE XV

MATHÉMATIQUES ET COMMUNION. LES SOUFFRANCES
DE CATHERINE ET LE STREPTOCOQUE DE ROHNER.
L'INTELLIGENCE PURE. QUE LA RAISON NE SAURAIT
TOUT EXPLIQUER. POLÉMIQUE SAVANTE. LE COURAGE
DE VIEILLIR. LE MICROSCOPE CONSIDÉRÉ COMME UN
REFUGE. QUE DIEU EST SAVANT ET RESPONSABLE.
LARSENEUR SUCCÈDE A TESTEVEL. LE VENIN DE LA
VIPÈRE.

Eh oui! ma lettre est en retard. Pardonne-moi,
pardonne-moi. M. Rohner est en train de me faire
comprendre que la plus belle des vertus, c'est la
charité, dont il est cruellement dépourvu. Je devrais
être reconnaissant à M. Rohner pour cette leçon
paradoxale. Je devrais même éprouver à son endroit
une juste indulgence, je devrais me montrer charitable avec cet homme dur. Eh bien, non! Je commence à détester Rohner, sentiment d'autant plus
curieux que Rohner m'étonne, m'intimide et continue de m'inspirer une réelle admiration. C'est une
intelligence pure. Le monde affectif, pour lui, se
limite à sa personne qui est douillette, irritable,
susceptible de certains sentiments et de certaines
passions ou émotions comme la rancune, le mépris,
la haine, la colère. Que le reste du monde soit tourmenté par l'amour, le désir, la tristesse, la rage, le

désespoir, voilà ce qu'il ne peut même pas comprendre. Les penchants, les passions et les émotions des autres sont de curieux phénomènes, presque toujours gênants et désagréables, dont il se fait une représentation intellectuelle et strictement objective. Jamais il ne bénéficie du miracle de la sympathie, jamais il ne hante, en pensée, l'âme et la chair des autres êtres, et s'il s'efforce, une minute, de le faire en vue de quelque démonstration, il a l'air de résoudre un problème d'algèbre et non de communier.

Il ne semble pas comprendre que Catherine est très malade. Il s'écrie simplement : « Pas d'endocardite! Pas de néphrite! C'est tout à fait anormal. » Si je lui dis : « Elle souffre », il répond sèchement : « Mais oui, on souffre toujours dans des histoires comme cela. Qu'on lui donne des calmants. Pas de morphine, surtout. Je veux une néphrite pathologique et non médicamenteuse. »

Je ne sais si tu comprends. C'est assez épouvantable. Rohner pense que la morphine pourrait donner de l'albuminurie. Or, l'albuminurie qu'il attend, je devrais même dire qu'il espère, ne doit être due qu'au microbe et non au médicament. Pour lui, cette grave maladie n'est qu'une expérience qu'il ne faut point laisser corrompre par des éléments accessoires.

La pauvre Catherine a dû subir une petite opération à cause de la pleurésie. Il a fallu ouvrir la poitrine. J'ai peur, depuis deux jours, que l'un des genoux ne soit pris. Il est gros et douloureux. La fièvre demeure élevée.

Catherine accepte toutes ces disgrâces avec une résignation qui me confond et me déchire mieux que les cris et les doléances. Elle est là, toute blanche, dans son lit, ses beaux cheveux divisés en deux grosses nattes qu'elle ramène sur sa poitrine. Tu ne connais pas l'hôpital Pasteur. Ce sont des pavillons tout neufs, construits selon les idées du maître. Les chambres, très claires, sont vitrées du côté du couloir, en sorte que les malades sont exposés aux regards dans des cages transparentes. Ce n'est pas trop intime pour ceux qui souffrent, mais cela permet une surveillance attentive. A l'intérieur, et dès la porte, sont pendues des blouses qui ne quittent pas la chambre du malade et que les médecins revêtent quand ils viennent faire leur visite.

J'arrive donc, et, chaque jour, j'aperçois, avant d'entrer, Catherine dans sa verrière. Elle fait un sourire mélancolique et pourtant heureux. Je suis son seul ami. Roch et Vuillaume viennent parfois jeter un coup d'œil. Ils singent le professeur et discutent longuement, au pied du lit, sur ce que Rohner appelle dès maintenant les localisations anormales. Car, je dois te le dire, cette maladie est la propriété de Rohner, ce microbe, mal connu jusqu'à la récente épidémie, est le microbe de Rohner. Il le désigne, dans ses papiers, sous le nom de *S. Rohneri*, ce qui signifie : streptocoque de M. Nicolas Rohner. Propriété rigoureusement exclusive.

Si Rohner attrapait demain une belle angine, avec ou sans endocardite, avec ou sans néphrite, ce serait un grand malheur pour la science ; mais enfin, ce serait dans l'ordre. Nous avons choisi cette carrière et nous en connaissons les risques. M. Rohner recevrait la plaque de grand officier de la Légion d'honneur ou quelque chose de ce genre et tous les journaux publieraient ses bulletins de santé. Mais Catherine ! Elle ne voulait pas la gloire. Elle ne l'aura d'ailleurs pas. C'est une martyre très obscure. Je respecte le général qui meurt à l'ennemi. C'est le but qu'il avait choisi, librement, à son existence. Devant l'humble laboureur qu'on appelle et qu'on jette au feu, il me semble que le respect ne suffit pas. Il faudrait s'agenouiller et se frapper la poitrine.

Lespinois dit que les localisations sont heureuses

dans une maladie comme celle de Catherine et que nous avons moins à redouter le danger d'une septicémie générale. Puisse-t-il avoir raison! J'aurai peut-être la joie de te donner bientôt des nouvelles plus rassurantes.

Cette maladie de Catherine m'aura quand même éclairé sur le caractère de mon maître Rohner. Si je m'abandonnais à mon penchant naturel, cet homme extraordinaire me ferait prendre en horreur l'intelligence pure, les œuvres et les pompes de l'intelligence pure. Ce serait injuste. L'intelligence est un des signes de l'homme et notre guide ordinaire dans la cohue des phénomènes. Pourtant, je commence à saisir les sentences mystérieuses de Chalgrin qui dit souvent : « La raison ne saurait tout expliquer... Il faut se servir de la raison avec prudence, comme d'un instrument admirable, mais exceptionnel dans la nature, et parfois même dangereux. » M. Chalgrin, c'est clair, marche dans le même sens que Bergson. Il est intéressant de voir des esprits venus de régions différentes de la connaissance cheminer, dans le même temps, vers le même point de l'horizon. Les phrases de M. Chalgrin, que je viens de citer, ne signifient aucunement qu'il faille renier la raison. Elles signifient que la vie elle-même reste inexpliquée et que vouloir, par exemple, déboucher une bouteille avec une lunette d'approche, serait une manœuvre maladroite ou, justement, déraisonnable. Toute la position de M. Chalgrin s'explique en quelques mots : « La raison, instrument admirable, est-elle un instrument universel, est-elle notre seul instrument ? »

Rohner ne comprend jamais la cause de ses échecs. Comme il ignore les vertus de la sympathie humaine, il ne sent pas lui-même qu'il n'est pas sympathique. Il sait — mieux que personne — qu'il a fait des travaux remarquables, qu'il est, somme toute, un des grands savants de l'heure. Il pense que cela devrait suffire pour lui gagner la tendresse générale. Il ne sait pas, il ne sent pas qu'il est dur, sec, méfiant. Il ne comprend peut-être même pas qu'il n'a pas d'amis véritables. Il n'a que des confrères, des collègues, des élèves et des « relations ». Il devinait que la présidence du congrès ne lui serait pas offerte, et il espérait quand même, sans l'avouer, sans se l'avouer, que ses mérites finiraient pas emporter l'assentiment général et que, dans ces conditions... Il a été bien déçu. Chose étonnante, cet homme, tout de calcul et de froides supputations, cache très mal ses mouvements d'humeur. Il dit, depuis l'élection de Chalgrin : « Un véritable savant ne doit pas perdre son temps hors du laboratoire. Je connais un certain biologiste de salon qui réussit dans les congrès, dans les banquets et les palabres, mais qui n'est peut-être pas capable de faire un repiquage sans gâter ses cultures. » — Je me permets de te dire, au vol, que rien n'est plus injuste qu'une insinuation telle : l'adresse de M. Chalgrin fait notre admiration, et, dans l'ordre technique, c'est l'homme le plus habile que j'aie rencontré jusqu'ici. Que cette question d'habileté ne te déroute point trop : un biologiste doit être ingénieux opérateur, à peine de tout gâter. On fait de la biologie avec son cerveau et avec ses mains. Pasteur, vieux et infirme, gouvernait les mains de ses élèves et, quand ces mains s'égaraient ou balbutiaient, Pasteur grondait, sans indulgence.

M. Chalgrin a, tu le sais, publié ses dernières expériences sur le fameux « polymorphisme ». Il en a fait une communication à l'Académie de médecine. Le texte de cette note est d'une réserve exemplaire ; toutefois, Rohner s'est senti mordu. La note n'a pas encore paru dans le bulletin, mais les journaux en ont donné la substance. D'où fureur de Nicolas Rohner. Bien qu'il ne soit pas nommé dans le texte de Chalgrin, il vocifère et postillonne : « C'est moi, c'est moi seul qu'il vise. Il ne perdra rien pour attendre la riposte. » Il prépare cette riposte et la mitonne comme une cuisine empoisonnée. Il a fait répandre le bruit que Chalgrin devenait presbyte, qu'il ne voyait même pas les dépôts dans le fond des tubes, qu'il ne voulait pas porter de lunettes pour faire le joli cœur devant les dames qui suivent son cours et que c'était le fait d'un savant mondain, non d'un homme de laboratoire.

Le patron devrait mépriser ces ragots et ces vilenies. Non, il s'en afflige. Il prête l'oreille aux propos des bavards et des traîtres, car tout notre monde scientifique est maintenant dans la querelle. On est, selon la classification de Sauvignet, Rohnerophile ou Chalgrinotrope. A la Sorbonne, au Collège, à l'Institut, à la Faculté, dans les hôpitaux, de petits conflits se déclarent. Chacun allume à ce brasier de petites disputes personnelles. Sauvignet fait des recrues, ce qui ne l'empêche pas de parler avec cynisme de celui qu'il appelle familièrement « le Vieux ». Sauvignet ne me plaît guère et si je ne le lui dis pas, les yeux dans les yeux, d'homme à homme, c'est pour ne point aggraver une situation qui n'a que trop de tendance à s'aggraver toute seule. Rohner et Chalgrin sont comme des gladiateurs dans l'arène. La multitude, tout autour, hurle pour les exciter, car la multitude se plaît aux spectacles cruels.

Rohner manifeste à tout propos je ne sais quel goût de la mystification la plus grossière, mystification de salle de garde et de carabin. Il fait publier, — car si ce n'est lui, qui est-ce ? — de petites notes dans les journaux, annonçant que M. Chalgrin serait nommé inspecteur général des maladies épidémiques — poste qui n'existe pas —, qu'il vient de recevoir les insignes de commandeur de l'ordre impérial de l'Ours blanc, qu'on songe à lui donner le prochain prix Nobel, qu'on va créer pour lui, d'un jour à l'autre, un ministère de l'Hygiène publique, etc. La semaine dernière, on a téléphoné au Collège pour demander confirmation d'une commande surprenante : un wagon de pommes du Canada, pour des expériences sur les moisissures... Jamais, tu le penses bien, M. Chalgrin n'avait rien commandé de tel.

Tout cela ne laisse pas de l'inquiéter et de le fatiguer — c'est de Chalgrin que je parle. — Il a des moments d'abattement. Il dit : « J'aurai bientôt cinquante-sept ans. C'est un très mauvais passage. Évidemment, je pourrais, avec un peu de patience, aller outre et devenir un vieil homme, résolument. Je ne m'en sens pas le courage. » Ces propos me blessent. Mon sentiment sur de telles questions est très ferme : j'espère ne pas vieillir et je fais des vœux, chaque jour, pour sortir décemment du monde quand j'aurai dit ce que je veux dire et fait ce que je crois avoir à faire. M. Chalgrin est, dès maintenant, un vieil homme. Alors, qu'il s'y résigne et qu'il ne gémisse pas. A de tels moments, il ne m'inspire pas de la pitié, mais une sombre irritation. Et pourtant, c'est mon maître, celui que j'aime et dont je sens qu'il m'aura vraiment formé. Je le voudrais parfait, tout simplement. Ce n'est, au bout du compte, qu'un détour de l'amour-propre, un nouveau piège de l'orgueil. Oui, comprends bien : de mon orgueil à moi, Laurent.

Pour oublier ces misères et même — oh! pardon! — pour détacher ma pensée de la pauvre Catherine, je me réfugie dans le cercle de mon microscope comme dans un monde sublime.

Tu n'as peut-être jamais, cher Justin, regardé dans un microscope. Si tu te penchais sur l'oculaire, tu serais intéressé par la clarté, par les couleurs, par les figures étranges que l'on te montrerait ; tu ne comprendrais pas tout de suite qu'il s'agit en effet d'un monde.

J'ai parlé de refuge et cela donnerait à penser que dans l'éclatante lumière du microscope tout n'est qu'ordre et sérénité. N'en crois rien. C'est la vie, avec toutes ses hideurs et ses tristesses, avec ses luttes, ses meurtres et ses écroulements. C'est la vie, notre vie, notre chère vie bien-aimée. Je pense que, parmi ces êtres éphémères, à peine visibles, misérables entre tous les êtres, il y a des Chalgrin, des Rohner, des Laurent, des Sénac, des Joseph et des Justin. Seulement j'ai, par rapport à cette vie, la position d'un dieu. Ne crois pas, à me lire, que c'est une position d'indifférence et de détachement. Non, certes. Si Dieu existe, il est savant et responsable. C'est bien pourquoi, dans les moments de désespoir, je souhaite qu'il n'existe pas. Si Dieu existe, il est pour quelque chose dans notre joie et dans notre misère, comme je suis moi-même pour quelque chose dans la vie de mes colonies, dans le succès ou dans l'échec de mes infimes bâtonnets, de mes cellules microscopiques. Et je ne me trouve pas détaché, tout au contraire. Quelquefois, en tournant les vis pour déplacer la platine, je sens mon cœur qui s'émeut, qui se met à battre plus vite. Je ne suis pas un dieu glacé. Je suis un dieu qui tâtonne, qui cherche, hésite et souffre. Un dieu très humain, très faible et très inquiet.

Laissons cela, vieux frère, et retombons parmi les hommes. Tu as reçu, me dis-tu, des nouvelles de Testevel. Moi de même : une carte, de Port-Saïd, une carte pleine de courage.

Ce que Testevel ne sait pas, ce que Testevel ne doit pas savoir, c'est que, maintenant, Larsencur souffre à la place de Testevel. Le tour de Larseneur est venu. Je l'ai sur le dos plusieurs fois la semaine. Suzanne lui reproche d'avoir poussé Testevel au désespoir. Testevel apparaît dès maintenant dans une lumière de légende. Il était fort, il était bon, il était doux. Il était même beau, il était même séduisant. Larseneur commence de composer des complaintes, des lieder désespérés. Ses dernières œuvres sont d'ailleurs excellentes. Suzanne m'inquiète. Elle ne semble comprendre ni son pouvoir ni son action. J'ai, par hasard, l'autre jour, ouvert *Don Quichotte* et j'y ai trouvé ces lignes que je te recopie sans commentaires : « Considérez d'ailleurs que cette beauté, je ne l'ai ni demandée ni choisie ; c'est un don gratuit du ciel. Et de même que la vipère ne saurait être accusée du venin qu'elle porte, si mortel soit-il, puisque c'est la nature qui le lui a donné, de même je ne mérite point de blâme pour être belle. »

La vipère! Le venin! Pauvre petite Suzanne, pauvre gentille sœur Suzanne!

Vale. Ton Laurent.

CHAPITRE XVI

MORT DE CATHERINE HOUDOIRE. LA SENSIBILITÉ NE
SAURAIT CORROMPRE LA RECHERCHE SCIENTIFIQUE.
LE CHEMIN DE LA RAISON. GRANDEUR ET TRISTESSE
DE LA PROFESSION MÉDICALE. UNE FAVEUR DE
L'OUBLI. LA PETITE SALLE HYPOGÉE. HYMNE AU
FOND D'UNE CAVE. LA COLÈRE-PASQUIER. HEURES
D'AMERTUME.

Catherine est morte. C'est fini. La voilà délivrée
de tout, des tourments de l'attente et des angoisses
de la fin, de la peine et de la joie, du soleil et des
ténèbres, de l'ignorance et du savoir, de nous tous
et d'elle-même. Le tendre regard effrayé ne m'appel-
lera plus jamais dans l'ombre du laboratoire. La
belle voix grave et chancelante ne racontera plus
jamais ces mélancoliques histoires d'enfance qui
étaient tout son trésor. C'est fini, la pauvre Catherine a cessé d'être triste.

Elle est morte vendredi soir. Je savais, depuis le
mercredi, qu'elle allait sûrement mourir. L'arthrite
du genou, tout d'abord, a dominé la scène, comme on
dit dans le langage éloquent des médecins. Puis, de
nouveau, Lespinois a parlé de septicémie. Pour
finir, ont éclaté des symptômes nerveux et tout
s'est précipité.

J'avais prévenu Rohner. Il est arrivé, l'air

brusque et goguenard, ce qui ne se justifiait guère. Il n'a dit qu'un mot : « Le cœur ? » J'ai fait signe de la tête, pour donner à entendre que le cœur était hors de cause. Il a haussé les épaules et m'a poussé dans le couloir. Il mâchonnait les poils de sa mouche et tirait sur ses doigts, l'un après l'autre, pour en faire craquer les articulations. Il m'a dit, d'un air entêté :

— L'endocardite est inévitable. D'ailleurs, nous verrons bien là-bas.

Il a fermé un œil aux trois quarts et m'a quitté sur ces paroles. Je n'ai pas compris tout de suite. J'étais surtout blessé par le ton de M. Rohner : nul mouvement de compassion, pas un mot de regret, pas un regard pour cette fille silencieuse qui fut quand même la servante de notre temple et qui est l'holocauste de notre religion. Puis, soudain, j'ai songé au professeur Leluc dans le service de qui j'ai travaillé pendant un an à l'hôpital Boucicaut. C'est un excellent homme et un médecin très savant. Les maladies l'intéressent peut-être plus que les malades. Il hésite toujours à faire, au lit du patient, un diagnostic formel. Il dit : « Nous verrons cela plus tard, là-bas... » Pour nous, ses élèves, « là-bas » cela signifie la salle où les corps, enfin soulagés de la vie, livrent sous le couteau tous les secrets de leur misère. Cette disposition d'esprit oriente toutes les pensées du maître. Apercevant un beau jour certain malade fourvoyé qui s'apprêtait à pousser la porte de l'amphithéâtre, le professeur Leluc s'écria, d'une voix prévenante et paternelle, en écartant le pauvre bougre : « Non, non, mon ami. Pas encore ! »

Avec son « là-bas », Rohner m'a rappelé soudain la phrase rituelle de Leluc, et j'en ai senti du malaise.

J'ai passé la nuit de jeudi à vendredi dans la chambre de Catherine, près de la religieuse. J'ai dit que c'était pour observer les symptômes. En vérité, c'était pour servir et pour honorer jusqu'à la fin cette affection presque sans histoire, cette affection qui n'aura pas vécu beaucoup plus de trois mois et qui va maintenant s'endormir au fond de mon cœur, entre les souvenirs innocents que je peux évoquer sans rougir. Catherine délirait depuis la veille et ne me reconnaissait plus. Je suis sorti deux ou trois fois, pendant la veillée, dans le jardin de l'hôpital, pour aspirer un peu d'air. Il faisait une nuit froide, étouffée, silencieuse, une nuit où toutes les questions chaviraient et coulaient à pic.

Catherine a vécu presque toute la journée de vendredi. Je suis allé jusqu'au Collège et n'y ai passé qu'une minute. Personne, au Collège, ne connaissait Catherine et n'avait la moindre raison de s'intéresser à elle.

Le soir tombait quand la délivrance est venue. Tu n'as peut-être jamais fermé les yeux d'un mort, mon cher Justin. C'est un geste de charité, surtout pour les survivants. On l'accomplit, en général, avec le pouce et l'index d'une seule main. Il faut ne pas se presser et peser sur les paupières un certain temps. J'ai fermé les yeux de Catherine et la sœur a noué un mouchoir pour lui tenir la bouche fermée.

Je souhaitais de faire la veillée funèbre, mais je n'avais aucun prétexte et les religieuses auraient pu s'en étonner. Je suis allé prévenir M. Rohner. La majesté de la mort est quand même quelque chose de fort, car le Vieux a tiré de son âme aride un mot de miséricorde, un pauvre mot de confection. Il a dit : « C'est un malheur. » Puis, très vite, il est retombé dans ses pensées de maniaque. Il a jeté sa cigarette et s'est frotté les mains — crois bien que je n'exagère pas. — Il murmurait :

— Intéressante autopsie en perspective !

J'ai balbutié :

— Mais, monsieur...

Il m'a regardé, pendant une grande minute, de cet œil bleu, de cet œil froid dont je ne peux supporter la lueur. Puis, détachant toutes les syllabes :

— Nous ferons cette autopsie ensemble, vous m'entendez bien, Pasquier. On m'a dit que Mme Houdoire n'avait aucune famille. Personne donc ne va réclamer le corps et nous ferons l'autopsie, tous les deux, dimanche matin. Je vais prévenir Lespinois.

J'ai dit encore, faiblement :

— Monsieur, je dois vous avouer...

Rohner a pris soudain ce ton sarcastique et revêche qui doit être une de ses réactions de défense — quelque chose de comparable à l'attitude spectrale des insectes attaqués.

— Qu'est-ce que vous devez m'avouer ? Que vous avez couché, peut-être, avec Mme Houdoire. Quand bien même cela serait...

— Mais non, monsieur, je vous assure.

— Ne vous défendez pas. Quand bien même ce serait, cela ne peut vous empêcher de remplir votre fonction. Pas de sentimentalité, mon cher. Il s'agit de la vérité scientifique et tout le reste ne pèse rien. Croyez-moi, laissez la romance et les attendrissements à des biologistes de boudoir que je préfère ne pas nommer et qui feraient mieux d'abandonner la recherche et d'apprendre la mandoline. Comment! nous sommes depuis deux ou trois mois sur le point d'isoler et de définir une maladie nouvelle, une véritable entité morbide ; nous avons une occasion assurément regrettable, mais tout à fait exceptionnelle, peut-être même unique de mener à bien certaines observations, puisque des lois absurdes nous interdisent encore l'expérimentation sur l'homme, la seule qui nous permettrait de marcher à coup sûr. Et voilà M. Pasquier, mon préparateur, qui commence à battre des paupières et qui fait la petite bouche. M. Pasquier veut-il me laisser croire qu'il s'est trompé de carrière ? Alors, mon cher, vous serez là-bas dimanche, à dix heures du matin.

Il m'a tourné le dos. Toi, Justin, qui es un poète, un philosophe, un esprit libre et solitaire, tu te demandes peut-être pourquoi je n'ai rien dit. Tu ne sais pas ce que représente pour nous, jeunes hommes, apprentis de la médecine ou des sciences, notre patron, notre maître. Tu ne peux comprendre que, pour nous, les mots de respect et d'obéissance ont encore un sens très fort, que ces gens peuvent nous faire, d'un mot, d'un regard, parfois rougir, parfois trembler et parfois même pleurer. Tu ne peux comprendre que, malgré toute sa dureté, M. Rohner, qui n'a jamais trouvé le chemin de mon cœur, trouve parfois le chemin de ma raison et que, si j'étais troublé, je ne savais que répondre. J'ai donc baissé la tête et je n'ai rien répondu.

J'ai longtemps hésité, vieux frère, à te raconter la suite. Elle peut te sembler pénible. Si tu es mon ami, tu dois connaître mon existence dans sa grandeur et sa tristesse. Vous autres, vous tous les autres hommes, vous qui n'avez pas choisi d'expliquer la vie, mais de vivre, vous qui vous servez de votre corps avec violence et naïveté sans comprendre les secrets de cette étrange mécanique, vous qui parlez des passions avec éloquence et avec orgueil sans connaître et même le plus souvent sans regarder le support matériel de toute cette belle folie, vous qui pouvez oublier pendant des heures entières, pendant des journées, des mois, des années peut-être l'effrayante humilité de notre condition, la confraternité de l'homme, des animaux et des plantes, vous qui, depuis des siècles et des millénaires, avez tout fait pour éloigner l'idée de la mort, pour l'évincer de votre décor social et même du vocabulaire, vous autres, vous êtes heureux! Vous parlez du cœur avec lyrisme et j'en fais parfois autant ; mais vous n'avez jamais tenu dans votre main le cœur d'un homme vivant. Vous dites : « C'est un beau cerveau » ; mais vous n'avez jamais vu vivre et palpiter la substance à demi liquide où se forment les pensées.

Le sein n'évoque pour vous que les idées d'amour ou de maternité. La bouche, pour vous, n'est que gourmandise ou baiser. Vous pouvez penser au coude sans songer à la synoviale et même vous ne pensez pas au coude, vous ne l'avez jamais palpé, jamais regardé de près, ignorants, heureux ignorants! Le pied est fait pour vous porter vers le travail, vers le combat, la gloire ou le jeu. Pour nous, c'est un ensemble compliqué d'organes fragiles, susceptibles, tous, d'une foule de désordres. Vous dissertez sur la chair avec un lyrisme ingénu; mais vous ne savez pas ce que c'est. Parfois, saisis de quelque réminiscence, vous voilez un peu l'ardeur de votre regard et vous parlez de poussière, vous parlez de retourner en poussière... Non, la poussière est sèche, propre, lointaine. Elle viendra sûrement, mais nous n'y sommes pas encore.

Cher Justin, pardonne-moi : cette semaine douloureuse m'a nourri d'amertume. Je sais qu'un jour, je ne serai plus jeune. Je vieillirai, je m'endurcirai. Je ferai peut-être comme nos maîtres, comme tous ces vieux hommes qui ont passé tant d'années dans la contemplation de la matière vivante et qui devraient être affranchis des ambitions terrestres, mais qui, tout au contraire, par une déconcertante faveur de l'oubli, de l'oubli nécessaire, élaborent des projets, entreprennent de grands travaux, construisent des théories, prêchent des doctrines, créent des écoles, recrutent des disciples, recherchent les honneurs et dissertent sur l'avenir.

Je serais sûrement plus calme si le Vieux avait laissé partir la pauvre Catherine tranquille. Que je te le dise tout de suite, nous avons fait, dimanche matin, ce que nous devions faire.

Je suis arrivé, comme toujours, en avance. J'imagine de méritoires efforts pour arriver en retard et je n'y parviens jamais. Aussi bien souhaitais-je cet instant de solitude. La salle « spéciale » est petite, car l'hôpital est petit. Elle est hypogée. On y descend par un escalier fort étroit, et les corps y arrivent en suivant le réseau des couloirs en soussol. La salle prend jour, faiblement, par des impostes ouvertes dans le haut des murailles ; aussi ne peut-on travailler qu'à la lumière artificielle.

Il n'y a qu'une seule table.

Catherine était là.

Pauvre Catherine, mon amie! Par la faute du Vieux, le voilà pour jamais, dans mon souvenir, ce corps blanc, froid, mutilé.

Nous sommes restés seuls, elle et moi, une bonne dizaine de minutes. Le garçon sifflotait et traînait la savate au rez-de-chaussée. J'étais saisi d'une pitié parfaite pour Catherine, pour moi, pour nous tous et peut-être même pour le Vieux, pour Rohner.
— Tu vois, maintenant, moi aussi je l'appelle le Vieux. — Il y avait deux ou trois mouches d'hiver qui tournoyaient au-dessus de la table. J'étais plein de pitié pour les mouches aussi, pour toute vie, et même pour les microbes qui étaient la cause innocente de ce malheur, pour les microbes qui devaient commencer à s'étonner du froid, leur œuvre, du froid qui n'allait pas manquer de les tuer à leur tour. Cher Justin, je repensais à mon enfance chrétienne et je me disais des choses folles. Un dieu qui a souhaité de se sacrifier pour les hommes, vraiment, quoi de plus naturel ? Comment ce dieu pourrait-il sans douleur supporter le spectacle de son œuvre ? Je te raconte mes pensées, même quand elles sont absurdes. Non, non, je ne suis pas encore endurci.

Et puis, j'ai songé soudain à des vers profanes de Verlaine. Je ne pouvais pas ne pas les murmurer en regardant la table :

> *Riche ventre qui n'a jamais porté,*
> *Seins opulents qui n'ont pas allaité...*

Cet hymne dans cette cave! Je t'assure qu'il est très difficile, à certaines heures, de ne penser que ce que l'on voudrait penser.

Rohner est arrivé, en tablier et en blouse, la calotte sur le crâne. Il a demandé des gants, il a mis des sabots pour ne pas salir ses souliers et il a prononcé la dernière parole humaine que Catherine lui ait inspirée :

— Pauvre Mme Houdoire! Une belle fille, quand même.

J'ai compris que son démon le ressaisissait tout de suite. Il a dit avec entrain :

— Allons, prenez le couteau. Dépêchons-nous, mon cher.

N'attends pas que je te rapporte tous les détails de cette triste besogne. Le Vieux était comme un limier qui cherche quelque chose et qui ne trouve rien. Car les reins étaient tout à fait normaux, du moins au premier examen, celui que l'on fait à l'œil nu.

Le Vieux, petit à petit, commençait de s'irriter et il ne cachait pas son agacement. Il grondait :

— Il faut voir aussi l'intérieur des ventricules. Tous les malades, à Bicêtre et à Gentilly, montraient des lésions de l'endocarde au niveau des valvules. Allons, donnez-moi les ciseaux. Comment! il n'y a rien! C'est vraiment incompréhensible. C'est presque une expérience de laboratoire. Elle devrait être démonstrative et voilà qu'elle est atypique. On peut dire que nous n'avons pas de chance. Mais, attendez, attendez! Nous emporterons les pièces et nous ferons faire des coupes. Il est à peu près impossible qu'il n'y ait rien du tout. Cela renverserait mes calculs.

Il était acharné, si brutal et de si mauvaise humeur que j'ai commencé de le regarder avec une véritable haine. Il était mécontent de ne pas trouver ce qu'il cherchait et j'ai vu le moment où il allait s'en prendre à ce corps misérable, à cette chair abandonnée.

Je me prenais à serrer les dents. Quelque chose que je connais et que j'exècre, la colère-Pasquier, la colère blanche et sifflante, se déroulait et se tordait à l'intérieur de mon être. Je pensais : « Un mot, qu'il dise encore un mot et je vais éclater, pour sa grande stupeur! Je vais d'abord lui dire merde, le traiter de vampire et de nécrophage, puis lui tirer les cheveux et peut-être même lui cracher au visage. Ce sera tout à fait abominable et j'aurai l'air d'un aliéné. Mais je ne peux plus résister... »

Par bonheur, le Vieux m'a tourné le dos. Il disposait les pièces anatomiques dans des bocaux pleins de formol ou de solution picrique. Il se calmait, tout doucement. Il murmurait :

— Vous verrez qu'à l'examen microscopique nous trouverons, malgré tout, la néphrite et l'endocardite.

J'ai cru, dès le début, qu'il chercherait du côté du système nerveux, puisque les accidents mortels ont été des accidents nerveux. Il n'a même pas eu l'air d'y songer. Et, soudain, j'ai compris qu'il était tout entier en proie à l'idée fixe, qu'il ne cherchait pas la vérité, mais seulement la confirmation de ses songeries et qu'il allait faire en sorte de trouver cette confirmation, coûte que coûte, qu'il allait interroger les tissus de telle manière que les tissus, tourmentés, répondraient n'importe quoi.

J'étais profondément troublé. Je me rappelais soudain que Pasteur aussi fut un entêté, un illuminé, un possédé. L'expérience fondamentale sur laquelle repose tout le traitement de la rage, tu ne sais peut-être pas qu'on n'a jamais pu, qu'on n'a peut-être jamais osé la refaire. Ce fut probablement un coup de chance, un coup de génie, un de ces hasards prodigieux réservés aux hommes exceptionnels qui ne peuvent pas avoir tort. Mais Pasteur était humain!

Le Vieux continuait de ranger les pièces, dans le formol, sur des matelas de coton. Je songeais douloureusement : « Pour qu'une vérité prenne corps, faut-il vraiment qu'elle avance ainsi, véhémente et aveugle, par le monde, réduisant, dénouant, tranchant tout sur son passage ? »

Le garçon est arrivé, apportant la grande aiguille et la ficelle, l'éponge et le seau plein d'eau. Du fond de mon cœur, j'ai dit adieu.

Nous sommes sortis ensemble, le Vieux et moi. Dans le jardin, il a grogné, de sa voix froide et caustique :

— S'il m'arrivait de mourir demain, d'une maladie prise au labo, je demande, monsieur Pasquier, je demande que l'on fasse mon autopsie et je souhaite qu'elle rende service à la cause de la science.

Ce disant, avec la pointe de l'index, il esquissait, sur le devant de sa blouse, le tracé d'une incision imaginaire et il accompagnait ce geste d'un bruit expressif et faux : « Crrrac! »

Il est allé tout droit dans son laboratoire. Je ne l'ai pas suivi. Ma colère était tombée, elle tournait en chagrin, en désolation. Je me disais en remontant le boulevard Pasteur : « S'il faut cette froide passion pour devenir un grand savant, je demande à rester un humble, à rester un ignorant. Je veux désapprendre à lire... »

Puis le soulagement est venu : je songeais à Chalgrin.

Chalgrin peut-il suffire à me consoler de Rohner ?

Allons! assez pour aujourd'hui.

22 février 1909.

CHAPITRE XVII

CONSOLATIONS TIRÉES D'UNE LECTURE. TRAVAUX
SOUTERRAINS DE M. NICOLAS ROHNER. UN COUP DE
MAÎTRE. LE « DÉLIRE DES QUINQUAS ». UNE PROIE
REBELLE ET CORIACE. REPROCHES A JUSTIN WEILL.
RENSEIGNEMENTS CONFIDENTIELS. ON NE CHOISIT
PAS SES AMIS. JOSEPH S'INTÉRESSE A SÉNAC. ÉPI-
LOGUE D'UNE HISTOIRE DE RUINE. CHASSE A LA
BICHE EN FORÊT. COMMENCEMENT DE L'INDIVI-
DUALISME. M. CHALGRIN SOUHAITE LA PAIX. QU'UN
HOMME N'EST JAMAIS SEUL.

C'est vrai, je ne t'ai pas écrit depuis plus de
trois semaines. A quoi bon? J'étais découragé,
dégoûté, tout endolori de rancune et pas trop
content de moi.

J'ai, pendant ces trois semaines, amèrement
douté de la vérité scientifique et même de la vérité
tout court. Pour me consoler, me guérir, j'ai re-
cherché, dans la bibliothèque de l'Institut, les
travaux de Pasteur. Quelle ardeur, quel souffle, et
surtout, quelle admirable logique! Et puis, quel
style magnifique, nombreux, riche de fortes ca-
dences! Un style que ne pourraient renier ni
Bossuet ni Pascal. Ces lectures m'ont réconforté.
Elles m'ont surtout permis d'apercevoir mon
maître Nicolas Rohner sous un jour plus équitable.

J'ai fait effort pour me recueillir dans le deuil et la pensée de Catherine. J'y suis parvenu parfois. Nous ne sommes pas tous les jours dignes de nos morts. Et puis, il faut bien t'avouer que le duel Chalgrin-Rohner n'a pas cessé d'agiter notre monde et qu'il nous est presque impossible de n'y pas penser.

Le Vieux, je te l'ai dit souvent, déteste les politiques et ne se prive pas de répandre en paroles son dédain et son animadversion. A la fin de l'année dernière, quand il attendait la cravate et désespérait de l'obtenir, il improvisait de véhémentes diatribes contre les parlementaires. Cela ne l'empêchait pas d'aller deux ou trois fois par semaine rue de Grenelle, de harceler le ministre et les chefs du cabinet. On a fini par lui donner la cravate. Il continue de vitupérer les politiques, mais il fait de grands éloges de Briand, qui est actuellement quelque chose comme garde des sceaux, qui jouit d'une grande influence à l'Instruction publique et dont M. Rohner est l'ami. Il espère en tirer peut-être quelque nouvelle parure, quelque nouvelle faveur.

Je t'ai dit qu'il avait déclaré d'abord ne vouloir accepter que la présidence du congrès, et nulle autre charge ou mission. Il n'a pas eu la présidence. On lui a demandé, par la suite, de prononcer un grand discours, après le dîner d'honneur. Il a tout de suite consenti. Pendant quelques jours, les organisateurs ont pu croire que les difficultés Rohner-Chalgrin se trouvaient momentanément résolues. C'était bien de l'optimisme.

Il avait été décidé, dès le commencement, que le président de la République assisterait à la séance inaugurale qui aura lieu dans le grand amphithéâtre de la Sorbonne. C'était une chose entendue, acceptée, réglée d'avance. M. Rohner, qui ne recule devant rien, a fait d'étonnantes démarches pour que le président Fallières ne vienne pas à la Sorbonne, mais préside le banquet. Tu sais ou, du moins, tu devines, qu'à la Sorbonne c'est M. Chalgrin qui doit prendre la parole et se trouver sur le pavois. Les intrigues de Rohner ont finalement échoué. Tout aussitôt, Rohner a commencé d'accommoder le président Fallières au vitriol. Le pauvre président est soudain devenu, selon le tour de l'entretien et selon l'inspiration, « cette grosse vessie de suif », « Sa Majesté la Graisse », « la prostate hypertrophique », « le lipôme au grand cordon », « l'éléphant de la République », etc. Nous avons pensé que la rogne du Vieux s'allait répandre en paroles et finalement s'épuiser.

Tout cela se passait pendant le milieu de l'hiver. Maintenant, le congrès approche et le programme est publié. Nous avons soudainement appris que le fameux banquet où doit parler Rohner sera présidé par Clemenceau. C'est un coup de maître. Clemenceau est médecin. Il est chef du gouvernement. C'est une personnalité beaucoup plus marquante que le bon M. Fallières. Je sais, par Sauvignet, que Rohner a mis tout en œuvre pour décrocher Clemenceau. Il avait tâté Briand, mais Briand ne sera pas libre. Alors il a joué l'autre carte et, pour finir, il a gagné la partie, sa partie. Tu peux croire qu'il n'a pas le triomphe muet. Il dit : « M. le président Falguère (sic) est un modèle de magistrature adipeuse. Si nous jugeons au poids, il mérite la première place. Dans un congrès de savants, il peut compter sur un succès de rire. Au contraire, le président Clemenceau, voilà ce que j'appelle un homme. »

Pour Sauvignet, M. Rohner est toujours « le Vieux » et j'en arrive à parler de même, sans gaieté de cœur, crois-le bien. M. Rohner, malgré sa moustache grise et sa dure brosse de cheveux blancs, est loin de paraître un vieillard. Il a peut-être cinquante-sept ou huit ans, pas davantage. Il se tient droit, il est vert et ne prêche certes pas le renoncement.

Il paraît que, vers la cinquantaine, les hommes font une espèce de maladie, de crise, qui est tantôt purement physiologique, tantôt psychologique et surtout métaphysique. Je te l'avoue tout net, Justin, j'espère bien mourir avant de parvenir à cet âge dangereux. Je l'ai dit un jour à Schleiter, qui n'est pourtant pas de beaucoup notre aîné, mais qui a des vues sur la birbification. Il m'a répondu d'un ton sentencieux : « Attendez seulement d'y être et si vous tenez absolument à mourir, il sera toujours temps de le déclarer. » Oh! je ne parle pas de suicide. J'espère une bonne chance, un accident, une belle petite mort subite, quelque chose qui viendra à point pour m'épargner les misères du moins-être.

Je ne connais pas très bien l'histoire de M. Rohner. C'est un homme qui a beaucoup travaillé, sans nul doute. Il n'y a pas, dans ces existences laborieuses, place pour de grandes aventures sentimentales, du moins je le suppose. M. Rohner a fait, comme les autres, ce que Sauvignet appelle le « délire des quinquas », et cette maladie se présente chez lui d'une manière un peu ridicule. Cet homme sec et d'aspect militaire — colonel en retraite — louche sur toutes les femmes, se contorsionne et fait des grâces. Il se regarde dans les miroirs, au passage, donne une chiquenaude à sa moustache, passe une main complaisante sur sa brosse de cheveux courts. Avec nous, les jeunes, il n'est pas très ouvert; mais nous l'écoutons parler à certains de ses pairs ou de ses amis, et il parle assez haut pour être entendu de tous. Il ne lui déplairait pas de donner à entendre qu'il a de chauds appétits et même des passions, qu'il est ce que Sauvignet nomme en arrondissant le bec « un grand génital ». Il disserte des choses de l'amour en connaisseur et en curieux, ma chère! Il disait l'autre jour, en voyant passer Mme Spaleanu, dans le couloir : « Je n'aime pas les bas de femme mal tirés. Cela suffirait à m'empêcher d'aborder. » Une délégation de personnes du monde est venue vendredi visiter l'Institut. M. Rohner faisait des effets de jambe, inventait des madrigaux laborieux, marchait sur la pointe des pieds pour paraître un peu plus grand qu'il n'est. C'était assez humiliant pour nous, ses élèves, pour nous qui, même si nous ne l'aimons pas, demandons à le respecter. Le thème de l'éternelle jeunesse et la question : « Quel âge peut-il avoir ? » me sont devenus odieux pour des raisons que tu connais. Ce thème et cette question tiennent pourtant une place énorme dans les entretiens de M. Nicolas Rohner.

On commence, à l'hôpital, des essais de bains lumineux. Le patient est plongé dans une baignoire d'eau limpide qui présente, à l'une des extrémités, une fenêtre éclairée par une forte lampe électrique devant laquelle on glisse des plaques de verre diversement colorées. M. Rohner assistait aux premiers essais. Il avait fait venir, pour mettre dans le bain, non pas un malheureux podagre, mais une belle fille potelée que l'on apercevait sous des flots de lumière tour à tour pourpre, dorée, azurée, verdoyante. M. Rohner se penchait sur cette magie scientifique avec beaucoup d'intérêt et risquait des observations ponctuées de remarques gauloises.

Toutes ces fantaisies qui m'irritent fort chez mon père devraient m'amuser chez Rohner. Elles m'amusent, en effet, mais elles m'agacent aussi. Quand je l'entends disserter à voix haute sur ses mérites génitaux, je ne peux m'empêcher — c'est bien lui qui m'y invite — de me le représenter en train de faire ce dont il parle, avec sa moustache et sa mouche, avec son allure de colonel autoritaire et sa façon de dire : « A revoir... » comme s'il vous disait « Rompez ». Alors, j'éclate de rire, mais je ne suis pas content. Note que cet homme qui sait tout, qui a tout lu, tout compris, cet homme qui est savant de façon presque monstrueuse, cet homme dit obstinément « à revoir », « escayer » pour escalier, et il prononce « un espèce de » quand il s'agit d'un objet du genre masculin. Exemple fréquent : un espèce de crétin.

Il a la coquetterie de toutes les choses sexuelles. Je ne sais plus qui, l'autre jour, parlait de pédérastie. Il a pris son air compétent. Il disait : « Mais non, mais non, je vous assure. C'est très intéressant... Il ne faut pas juger de ces choses à la légère et sans renseignements personnels. »

Non, je ne suis pas content. Ce méchant homme, à mes yeux, incarne malgré tout l'intelligence triomphante. Je ne veux pas que, par sa faute, l'intelligence me devienne odieuse et dérisoire tout comme la stupidité.

Je vais lâcher Rohner un peu. Je sens que, si je me laissais aller, je perdrais le juste équilibre. Je sens que je m'acharnerais sur cette proie rebelle et coriace. D'ailleurs, tu m'invites à la modération, car tu me sembles, en ce moment, fort sensible à l'indulgence. Dans tes dernières lettres, tu trouves, pour parler de Sénac, des expressions d'une exquise bénignité. Je crois même comprendre que vous avez noué, Sénac et toi, quelque chose comme une correspondance amicale. Ne proteste pas : je peux produire des preuves accablantes.

Dans une lettre du 10 février, tu m'as écrit, froidement, toi, Justin : « Sans la maladie de Mme Houdoire, tu ne m'aurais peut-être rien dit de cette liaison qui tient, je le sais, tant de place dans ta vie... » Admirable! Je ne t'ai rien caché de cette amitié douloureuse. Catherine jamais n'est venue chez moi. Je ne suis jamais allé la voir chez elle. Nous ne sommes jamais sortis ensemble. Et c'est toi, toi, Justin, qui peux donner asile à des pensées de cette nature, toi qui vis volontairement loin de nos agitations et de nos petites misères, toi qui t'es retiré de notre monde futile pour partager les souffrances des hommes au travail. Je ne t'en veux pas, car j'imagine assez bien de qui te viennent ces clartés extravagantes sur nos chétives personnes.

Dans la même lettre, page 6, tu dis : « Surveille donc Suzanne. Avec Testevel, il n'y avait rien à craindre, mais Larseneur est sournois. » Je sais que tu n'as pas encore pardonné à Larseneur d'avoir quitté Bièvres des premiers. Mais que sais-tu de ses relations avec ma sœur Suzanne ? D'où te vient cette défiance ? Je le devine maintenant. Elle est, si j'ose dire, signée.

Enfin, dans ta dernière lettre, tu te répands en propos malveillants contre Richard Fauvet. Voilà donc un garçon que tu n'as jamais vu, dont tu ne sais à peu près rien, car je ne t'en ai presque rien dit. Or, tu me parles de Fauvet avec des précisions de détective. Tu connais ses goûts, ses habitudes, ses manies, sa façon de se vêtir et la couleur de ses cravates. Ce n'est pas moi qui t'ai révélé tout cela. Qui l'a fait ? Ah! Justin, Justin, tu pourrais rougir. Je comprends que l'on souffre, mais sans l'assistance et le secret renfort d'un homme que l'on méprise.

Je ne suis pas jaloux de ce regain de sympathie pour Sénac. Mes lettres ne te suffisent donc pas ? Tu as besoin des fiches d'un indicateur! Je te plains et je passe outre. Sache d'ailleurs que je ne dirai rien à Sénac de cette dispute entre nous, de cette dispute qui me navre. Il n'arrivera pas à nous lancer l'un contre l'autre.

Je ne lui dirai rien car, malgré tout, je le plains. Je l'ai vu plusieurs fois ces temps derniers. Je te conterai même bientôt quelque chose d'assez piquant en ce qui touche son avenir. Je veux d'abord t'instruire sur les états d'âme de ton nouveau collaborateur et policier intime. Je ne sais si tu te rappelles qu'un jour, au Désert, pendant une controverse avec Jusserand qui faisait l'éloge de la grandeur, tu avais vertement répliqué : « La grandeur! Oui! La grandeur! Il y en a qui finissent par être de grands médiocres. » Cette phrase, qui m'est demeurée dans l'esprit, doit aussi tourmenter Sénac. Il a — c'est lui qui le dit — l'horreur de la médiocrité. Il paraphrase la maxime de Jusserand : « Je préfère un grand échec à une petite réussite. » Il voudrait, le malheureux, être un grand quelque chose, un grand n'importe quoi. Comme il ne lui est pas facile d'être un grand philosophe, ou d'être un grand poète — car tu sais qu'il n'écrit plus, il juge ceux qui continuent d'écrire avec une grande insolence, mais il a cessé d'écrire —, comme donc il lui est difficile d'être grand par le travail ou la vertu, le pauvre se berce encore de l'illusion qu'il pourrait être une grande canaille, ou, comme il dit, « un grand salaud ». Eh bien! ce n'est même pas vrai. Sénac n'a pas l'étoffe d'une grande canaille. Et parce que j'en suis sûr, je prends soin de le désespérer à ce sujet. Quand il a deux ou trois verres dans le nez, qu'il commence à se frapper la poitrine et à s'accuser frénétiquement, je le regarde en souriant et lui réponds avec beaucoup de gentillesse : « Mais non, mais non, mon pauvre Jean-Paul. Tu t'imagines que tu es un salaud, mais tu n'es qu'un bon garçon gâté par l'oisiveté, pour l'instant, et, chroniquement, par l'alcool. » J'aimerais assez de le museler tout à fait. Et pourtant, je n'insiste guère dans la crainte de le blesser au bon endroit et de le pousser à faire une vraie saloperie pour laquelle, quoi qu'il dise, il n'est quand même pas de taille.

Voilà, cher Justin, peint au vif, le malheureux de

qui tu reçois et peut-être même à qui tu demandes ce qu'on appelle dans l'administration des « renseignements confidentiels ». Je sais que je suis distrait, pourtant tu voudras bien penser que je ne suis pas aveugle.

Pour te rassurer quand même sur le très misérable Jean-Paul, je veux te dire qu'il va sans doute avoir une situation sociale. Il a très vite bu les subsides octroyés par mon cher patron. Je lui ai, les semaines suivantes, donné quelques petites sommes, car, enfin, il faut qu'il mange. Il a été notre compagnon, notre ami. Je commence à comprendre que nos amis, nous ne les avons pas choisis, et qu'il nous faut les accepter, les tolérer, les subir, comme les gens de notre famille, comme tous les fardeaux envoyés par le sort. Je ne dis pas cela pour les petites sommes d'argent, d'ailleurs très modestes, que j'ai données à Sénac ; non, non, mais, tu l'as bien compris, pour le grand fardeau moral qu'il impose à tous ses amis.

J'en étais à chercher quelque moyen de lui trouver, sans désobliger personne, la niche et la pitance, quand, un jour de la semaine dernière, mon frère Joseph m'a dit :

— Je m'intéresse à ton ami Sénac. Je songe même à l'employer.

Cette petite phrase m'a fait dresser les poils sur le dos de la main. Quelle collusion ! Elle me semble en même temps extravagante et fatale. Elle n'est pas tout à fait arbitraire : Joseph a rencontré Sénac au Désert et, parfois, chez moi, parfois chez le bistrot Papillon. Au premier regard, il me semblait que Sénac était de ces hommes que Joseph ne voit même pas ou qu'il repousse du pied, comme on ferait d'une limace. Eh bien, non, Joseph a vu Sénac et même il l'a distingué. De le savoir, j'en ai ressenti beaucoup plus que du malaise. Par la suite, la fameuse collusion m'a semblé logique.

Les maîtres.

Sénac est incapable d'un travail sérieux. Or, Joseph est de ces chefs qui ne tolèrent, dans leurs bureaux, que des esclaves irréprochables, diligents, scrupuleux, zélés. Si Joseph a jeté les yeux sur Sénac, c'est probablement qu'il attend de lui certains offices auxquels on n'ose pas songer. Tout cela m'attriste beaucoup. M. Mairesse-Miral et Jean-Paul Sénac! Seigneur! Quel attelage! Vraiment, me serais-je trompé? Sénac aurait-il quand même l'étoffe d'un bon salaud moyen, sinon d'un maître salopard?

Puisque j'en suis à Joseph, que je t'en chante un couplet. Je lui ai dit, ce même jour qu'il m'avait parlé de Sénac :

— Et cette ruine? Elle se porte bien?

J'esquissais un sourire que j'aurais voulu léger, mais qui, bien malgré moi, devait se crisper quelque peu. Joseph m'a regardé droit dans l'œil avec une parfaite et désarmante innocence. Il murmurait :

— Quelle ruine? Que veux-tu dire? Le coup des Barrages de la Roumagne, peut-être. Mais non, mais non, tout va très bien. Vous avez une façon de parler, vous autres! Vous ne pesez pas vos mots. La ruine! La ruine! Si des étrangers t'entendaient, tu pourrais, sans le vouloir, me porter un grand préjudice. Attention, Laurent, attention! Je ne suis pas superstitieux, mais je n'aime pas la plaisanterie.

Il m'a grondé — tu peux me croire — pendant deux ou trois minutes.

Si tu tiens à être rassuré sur le compte de Joseph, sache que ses affaires vont à merveille. Il n'a pas remboursé les trois mille francs des parents, car il a lui-même acheté la concession et traité directement avec le marbrier. Il dit : « J'y serai de ma poche. Bah! si ça leur fait plaisir... » Je pourrais pourtant t'affirmer qu'il a dû, sur l'achat et la commande, faire un léger bénéfice dont nous ne saurons jamais

rien. Pour Ferdinand, il a laissé son magot « dans
les affaires ». Il touche des intérêts et il en est tout
glorieux. Il n'imagine pas très bien qu'il ne verra
plus jamais ce que l'on appelait jadis, fortement, le
principal. Que veux-tu ? Ferdinand est myope. Si
myope qu'il lui est arrivé, l'autre jour, au théâtre
Sarah-Bernhardt, de se trouver devant une glace, de
ne pas se reconnaître et de se saluer, deux fois,
gentiment, pour se laisser passer, avant de comprendre l'erreur.

Je ne quitterai pas Joseph sans te raconter encore
une petite histoire de lui. Je la tiens de sa femme,
Hélène.

Ils étaient invités tous deux, un soir du mois dernier, à souper chez les Voekler, les grands marchands
de chocolat, qui ont une propriété non loin de
La Pâquellerie, à Saint-Martin-du-Tertre. Hélène et
Joseph avaient passé deux jours à *La Pâquellerie*
pour surveiller les ouvriers qui travaillent dans le
domaine et pour « jouir un peu de leur bien », comme
dit parfois Joseph avec une sorte de fièvre toujours
renaissante et toujours désabusée. Le dîner était à
neuf heures. Joseph et Hélène sont partis, passé la
demie de huit heures, lui en smoking, elle en toilette
de soirée, robe décolletée, fourrure, enfin tout le
tralala. Ils avaient pris la limousine et Joseph
conduisait lui-même. La nuit était très froide et
sans brouillard. Ils ont monté la côte pour traverser
la forêt. Joseph était très gai, mais il ne pouvait
parler à sa femme enfermée dans la bagnole. Hélène
l'entendait siffler. Et, tout à coup, dans la lumière
des phares, voilà qu'est apparue une biche, une belle
biche au jabot blanc. Alors Joseph, saisi de frénésie, a
foncé sur cette proie. La biche a pris la fuite, comme
il arrive souvent, paraît-il, sans parvenir à s'évader
de la lumière des phares. Joseph a poussé le moteur.
Par bonheur, les bas-côtés de la route étaient gelés,
car la voiture faisait des embardées presque à frôler

les arbres. La voiture avait l'air, comme son conducteur, d'un fauve déchaîné. Hélène avait très peur et même elle poussait des cris. Pour finir, Joseph a rejoint la biche et lui a passé sur le corps. Alors, il a serré les freins et il est descendu. Hélène m'a dit qu'à ce moment, il avait vraiment l'air terrible. Il a retiré son pardessus et il a ramassé la biche qui avait le ventre ouvert et les intestins dehors. Il ne voulait pas la laisser là, mais l'emporter. Hélène tâchait de l'en dissuader. Il ne se possédait plus. Il a pris la biche à pleins bras et l'a jetée dans la voiture. Il soufflait et respirait rauque. Alors ils se sont aperçus tous deux que la voiture était pleine de sang, que Joseph avait les mains rouges et le smoking tout souillé, que la belle robe d'Hélène avait reçu des éclaboussures. Joseph semblait dégrisé, très triste, très mécontent. Ils sont revenus en hâte jusqu'à *La Pâquellerie*. Ils ont téléphoné qu'ils arriveraient en retard. Joseph a caché la biche : il voulait la manger quand même. Il était très ennuyé, car les chasses de la forêt appartiennent justement aux Voekler. Il a fallu changer de toilette, nettoyer la voiture. Ils sont arrivés très tard, la soirée a été lugubre et je crois avoir compris que Joseph a manqué l'affaire qu'il avait en vue avec le chocolatier.

C'est Hélène qui m'a raconté cette histoire. De temps en temps, elle sourit et une fossette charmante se creuse au coin de sa joue. Je peux, à de tels moments, croire qu'elle juge son mari. Je n'en suis pas sûr. A force de vivre avec lui, je sens bien qu'elle finira par lui ressembler tout à fait.

Je me suis cent fois promis de ne plus parler de Joseph. Cette fois, c'est bien fini. Je l'abandonne, je le plaque, avec sa biche, sa fortune, sa ruine et ses créatures au nombre desquelles je ne verrai pas sans horreur le poète Jean-Paul Sénac.

Le Congrès des Sciences biologiques va commencer la semaine prochaine ce qu'on appelle « ses travaux ». Faut-il te l'avouer, je ne crois pas beaucoup aux travaux des congrès. Le travail créateur, le travail véritable s'accomplit dans la solitude. On ne fait de compagnie que palabrer sur des points de style, sur des détails de forme, et encore toute solution ferme exige la retraite et la méditation. Je me sens, petit à petit, devenir individualiste. Notre expérience du Désert et ce que je vois chaque jour, c'est bien assez pour me donner la haine de toute délibération publique et pour me renvoyer dans la retraite exacte et féconde, celle où l'homme est parfaitement seul. Je sais que je vais te faire hurler. Toi, tu es, malgré le Désert, l'homme de la communauté. Puisses-tu n'y point perdre à jamais tes raisons de confiance en l'homme et tes suprêmes espoirs! Je ne te cherche pas querelle, mon bon et cher ami, je te raconte, comme je le peux, les démarches de mon esprit et même et surtout ses faux pas. Ajouterai-je que je suis un individualiste tolérant et discipliné? Je n'oublie jamais qu'il me faut vivre en société. Je considère, par exemple, les congrès avec un scepticisme irréductible ; néanmoins je ne refuserai pas de participer aux congrès, si j'ai lieu de le faire plus tard. Je dois même, pendant celui-ci, présenter un petit travail, sous le couvert de M. Chalgrin. J'ai, de surcroît, accepté d'être au nombre des jeunes gens qui se partageront la besogne matérielle du congrès et qui, durant les cérémonies, joueront en quelque sorte le rôle de garçons d'honneur et porteront un brassard pour se désigner à l'attention des multitudes.

M. Chalgrin a fini de rédiger son discours. Je sais que c'est une très belle page. M. Chalgrin pourrait être heureux, car, en somme, tout lui sourit. Eh bien, je le trouve triste. Je pense que cette discorde le tourmente et finira par l'épuiser. Rohner est fait pour la chamaille ; il s'y meut avec aisance et promptitude, on pourrait même dire avec allégresse. Mon cher patron, tout au contraire, est visiblement malheureux et même à bout de résistance. Certains jours, il semble hors d'état de prendre une décision. Il dit : « Qu'est-ce qu'il faut faire ? Qu'est-ce que l'on pourrait bien faire ? » Et il ajoute en secouant doucement la tête : « Je dois vous avouer, mon ami, que je ne sais pas du tout que faire et même qu'il me serait doux de ne rien faire de tout cela. »

Je suis sûr que cet homme pacifique et délicat donnerait tout pour avoir la paix. Je me suis demandé souvent ce qui pouvait le retenir. Je pense que le caractère de Nicolas Rohner est peu favorable à la conciliation. Il y a sûrement des raisons beaucoup plus secrètes. Je vois parfois Mme Chalgrin et je crois te l'avoir dépeinte, un peu sommairement sans doute. Je commence à comprendre le rôle de Mme Chalgrin dans la vie de mon bon patron. Ce n'est pas une personne bassement intéressée. Elle ne ressemble en rien à Mme Vaxelaire qui est follement prodigue et contraint son savant de mari à gagner de la galette par tous les moyens possibles. Non, c'est une personne très altérée de considération. Je suis sûr que, sans elle, M. Chalgrin n'aurait jamais accepté toutes sortes de corvées qui l'importunent et le fatiguent. Mme Chalgrin est une personne qui ne plie pas, qui ne plie jamais. Il se peut que le duel Chalgrin-Rohner soit un duel entre M. Rohner et Mme Chalgrin. Ah ! Seigneur ! Qu'il est difficile de comprendre quelque chose à nos maîtres ! M. Hermerel, que j'aime tendrement et dont je t'ai souvent fait l'éloge, M. Hermerel a, lui, pour compagne, une femme admirable à qui, sans aucun doute, il doit le meilleur de son inspiration et même la dignité de sa vie. Je suis individualiste, je viens d'avoir l'honneur de te l'expliquer ; mais je comprends quand même très bien qu'un homme, c'est un ensemble inextricable d'âmes, de forces et d'influences.

Allons, je vais dormir. Je commence à divaguer.

Ton frère réconcilié, s'il fut jamais mécontent.

L. P.

15 mars 1909.

CHAPITRE XVIII

LE CONGRÈS DES SCIENCES BIOLOGIQUES. LA SCIENCE CHERCHE EN GÉMISSANT. FAUT-IL SE DÉFIER AUSSI DE LA MUSIQUE ? UNE VOLONTÉ D'OUBLI QUI NE VA PAS SANS GRANDEUR. INCONVÉNIENTS DE L'ÉLOQUENCE. UN MONSIEUR QUI NE CACHE PAS SES SENTIMENTS. PIEUSE PENSÉE POUR CATHERINE. UN DÎNER DE DEUX CENTS COUVERTS. LA PLACE D'HONNEUR. M. ROHNER SAIT CE QU'IL VEUT. UN FESTIN DE CANNIBALE.

Je te l'ai dit cent fois, les cérémonies officielles m'inspirent une sorte d'horreur. J'avais fait jadis le serment — encore un serment et, qui pis est, un serment trahi bien vite — de ne me fourvoyer jamais dans ces kermesses de la vanité. J'avais même pris la liberté de dire, non sans beaucoup de circonlocutions, mon sentiment là-dessus à mon cher patron Olivier Chalgrin. Il me regardait en souriant avec indulgence, avec lassitude aussi. Puis il a parlé de Pasteur qui était très décoré, très chamarré, très officiel et qui, quand même, était Pasteur. Pour finir, le patron a dit en me posant sur l'épaule sa belle main, blanche et légère, qui commence à peine de se nouer aux jointures : « Attendez encore vingt ans et vous verrez, vous comprendrez qu'on ne peut pas faire autrement, que nous devons montrer aux multitudes une science non point humiliée, mais militante et victorieuse, une science qui déclare ses besoins et connaît son empire. Nous ne pouvons pas déléguer les professionnels du faste et de la représentation. Force nous est donc de comparaître en personne et de prêcher publiquement notre foi. »

C'était presque sans réplique, et cela ne m'a pas convaincu. J'ai quand même pris ma petite part au congrès et joué mon rôle de garçon d'honneur. Jusqu'à la dernière minute, j'étais d'humeur maussade. Puis mes sentiments se sont quelque peu modifiés et je dois, pour être juste, tâcher de t'en faire en même temps le commentaire et l'aveu.

Je pense t'avoir expliqué, cher Justin, que je remplissais, avec Vuillaume, Roch, Fauvet, Sternovitch et pas mal d'autres, les fonctions de commissaire. J'avais un brassard brodé aux initiales du congrès : C. S. B. J'étais en habit, s'il te plaît, un habit loué chez Latreille, rue Saint-André-des-Arts. Je suis arrivé, comme il se devait, en avance et j'ai commencé de piloter les bougres, bonzes, pontifes, magnats et autres grands seigneurs des sciences et de la politique, au fur et à mesure qu'ils se présentaient pour prendre place, les uns sur l'estrade et les autres dans la salle. Je connaissais quelques-uns de ces messieurs pour les avoir aperçus à la Sorbonne, à la Faculté de médecine, à l'Institut, au Collège ou dans les hôpitaux. La plupart me semblaient infiniment respectables ; mais quand je les ai vus s'avancer devant moi, dans leur tenue de gala, certains dans des uniformes comiques avec, le long de la cuisse, une épée constellée de pierreries, d'autres en toge, d'autres en habit noir, arborant des rubans coloriés en sautoir, des brochettes, des festons, des chapelets de croix et de médailles, des étoiles de diamants collés à la place du foie ou de la rate, je ne sais même plus, quand je les ai vus se présenter ainsi comme des vitrines ambulantes, comme des ostensoirs et des châsses, je dois dire que je suis devenu rétif et que j'ai laissé choir sur ces maîtres vénérés un coup d'œil cruel et glacé. Je songeais, en les conduisant à leur place avec un empressement de page ou plus simplement d'huissier, je songeais : « Tout cela n'est pas la science, quoi qu'en dise le patron. La science vit laborieusement, sous une blouse pleine de taches, sous une blouse déchirée, dans le fond des laboratoires. La science avance en trébuchant, non pas sous le poids des honneurs, mais dans l'angoisse et les ténèbres. La science ne triomphe pas sous les ors, les émaux et les pierres précieuses, elle cherche en gémissant. Ce soir, la science n'est pas ici, parmi cette multitude travestie et parfumée. »

Telles étaient mes réflexions pendant que je guidais les vieux maîtres vers leur fauteuil, dans lequel ils se laissaient choir comme des gens qui n'ont plus les articulations très libres. Puis sont venus les politiques de moyenne dimension. Cependant, la grande salle s'emplissait. On entendait croître, de minute en minute, un énorme souffle humain. Puis la musique de la garde a soudainement retenti. Par bonheur, de toute la soirée, elle n'a joué que de belles choses, un peu mêlées, mais belles : *Allegretto de la septième symphonie*, *Antar*, de Rimsky, *Ouverture des Maîtres*, etc. Enfin, de la musique véritable. Je dois te dire que la musique exerce sur mes nerfs une action en même temps exaltante et sédative. J'ai senti que la musique, même cette musique un peu brutale, sans cordes, sans moelleux, allait, comme toujours, dévier mon jugement. Et j'en étais là de ma méditation ambulante quand la salle entière s'est levée et que la *Marseillaise* est partie comme une bombe.

Cher Justin, tout ce qui va venir n'est pas trop compréhensible. Tu sais que, d'ordinaire, je ne suis pas très « Marseillaise ». Je trouve toujours assez drolatique de voir d'honorables bourgeois se mettre sur leurs fumerons et retirer leur huit-reflets pour entendre exécuter un hymne révolutionnaire, plein d'appels aux armes, plein de sang et de fureur, plein de meurtres sacrés. C'est le sort des chants révolutionnaires de s'assoupir en définitive dans la friture des fêtes foraines, dans le tumulte des comices ou la puanteur des banquets. Nous avons entendu chanter *L'Internationale*, rappelle-toi, dans le *Grand Soir*, au théâtre des Batignolles, et cela nous a fait courir un frisson au creux des reins. Mais je sais bien qu'un jour on exécutera *L'Internationale* devant de braves bourgeois en gibus et en habit, qui bavasseront pendant des heures pour célébrer les immortels principes de l'an dix-neuf cent et quelque chose, — ne cherchons pas trop. — Voilà, voilà ! tu comprends donc pourquoi, quand je suis maître de moi, je ne suis pas « Pom, pom, pom, pom... ».

Eh bien, chose vraiment surprenante, cette *Marseillaise* du congrès m'a bouleversé. Je n'en saurais dire la raison. C'était violent et terrible. M. Fallières est entré là-dessus. Je ne l'ai pas trouvé ridicule du tout. Je serrais les dents et les poings. Je devais être un peu pâle. Décidément, il faut se défier de la musique, de la divine musique, de notre chère et consolante musique.

Derrière M. Fallières sont entrées toutes les personnes que l'on appelle, je me demande pourquoi, des personnalités. Il y avait là des ministres que je serais bien en peine de te nommer, et enfin nos maîtres. J'étais un peu vexé de voir que nos maîtres, ces hommes extraordinaires dont le nom retentira dans les siècles, marchaient, comme toujours, derrière certains politiques dont le nom disparaîtra dans six mois. Chez nous, en France, il paraît que c'est la règle. A la réflexion, je trouve que c'est très bien et que le vrai mérite donne ainsi publiquement des marques de modestie.

Je redoutais beaucoup d'apercevoir mon cher patron dans son déguisement verdâtre de membre de l'Institut. Je dois confesser encore que M. Chalgrin m'a paru soudain très beau, très élégant et de noble allure. Il est possible que ce soit un damnable effet de la musique. Je constate, je ne juge pas.

Tout le monde s'est assis. La musique a continué de jouer pendant quelques instants. J'avais gagné ma petite place et je contemplais le spectacle. Il me semblait magnifique. Il y avait des tribunes pleines de militaires en uniforme, d'autres tribunes bruissaient de jeunesse. Les toilettes étaient somptueuses. L'estrade ruisselait de flammes et d'étincelles. J'étais peut-être complètement intoxiqué : je me sentais envahi non seulement d'indulgence mais aussi d'admiration pour ces pompes, pour ce faste. Je me disais que les hommes ont parfois besoin d'oublier, dans quelque débauche de luxe et de splendeur, qu'ils ne sont que des animaux très misérables, des organismes fragiles et dominés par le besoin, par la peur et la tristesse. Je pensais que sous ces broderies, sous ces diamants, sous ces galons et ces dorures, il y avait des muscles comme tous les muscles, des organes composés d'éléments délicats, des glandes en train de sécréter, des cellules nerveuses à moitié fluides, et quoi encore ? des vessies plus ou moins pleines — car la vessie joue un certain rôle chez ces messieurs et c'est elle qui, parfois, bien avant l'estomac ou les jointures, sonne le tocsin d'alarme. — Je me disais que toute cette foule faisait, en somme, un effort méritoire pour oublier sa condition temporelle et que cette volonté d'oubli n'allait quand même pas sans grandeur.

Tu vois qu'à ce moment-là, j'étais à moitié conquis et presque à résipiscence.

Les discours ont tout gâté. On ne devrait jamais

parler dans les cérémonies de cette nature. La musique suffirait bien à troubler les meilleures cervelles. Malheureusement, je dois être seul de mon avis. La règle est de bavardage. Ainsi l'esprit critique peut se ressaisir et même exercer sa fonction, son implacable fonction.

J'ai commencé de m'ennuyer. La science, dans les discours, devient tout de suite emphatique et boursouflée. Que d'idéologies! Que de déclarations vaines! Les choses les plus sûres et les plus sensées prennent, par le discours, un caractère de vérité électorale. Dans les meilleurs moments, cela ressemble aux apophtegmes et boniments naïfs de monsieur mon père sur la libération de l'humanité, apophtegmes honorables, mais dont je suis rassasié. M. Chalgrin, comme président du congrès, a fait un magnifique laïus qui m'a cruellement déçu. Comprends-moi bien : toutes les idées exprimées par M. Chalgrin, dans cette harangue, sur les transformations nécessaires du rationalisme, sur la collaboration des sciences et sur l'avenir de la biologie, toutes ces belles idées, je les connais, ou mieux encore, je connais leur visage intime et vivant. J'ai, plein de ferveur, épié leur naissance et leurs premiers jeux. M. Chalgrin m'a fait parfois l'honneur d'essayer devant moi ses thèmes, d'exécuter ses gammes et ses exercices. C'est ainsi que je les aime, les idées, dans leur verdeur naturelle. Habillées, parées, fardées pour ce public officiel, elles ne m'ont fait aucun plaisir.

En revanche, elles ont dû prodigieusement irriter Nicolas Rohner. Voilà, certes, un monsieur qui ne prend pas la peine de cacher ses sentiments. Il en serait bien incapable. Il était à la table d'honneur, et assez loin du centre, ce qui semblait l'affecter beaucoup. Il ne cessait de remuer, de faire craquer les articulations de ses doigts, de donner des chiquenaudes aux poils de sa mouche. Pendant le discours de M. Chalgrin, il n'a pu s'interdire de manifester soit l'ennui, soit la désapprobation. Il secouait la tête, il bâillait, il s'éventait, si j'ose dire, d'un geste insolent avec la feuille du programme, il tripotait la croix de sa cravate ou le pommeau de son épée, car il était en grand costume.

Alors, soudain, pendant que les applaudissements faisaient frémir toute l'ossature de la bâtisse, je me suis pris à penser à Catherine, à mon amie, la pauvre Catherine Houdoire, qui est morte obscurément, sans *Marseillaise* et sans discours. Oh! je ne formulais pas une revendication pour la très humble servante de la science ; mais j'ai pensé qu'il ne fallait quand même pas l'oublier dans ce tumulte. J'ai cessé de prêter l'oreille aux discours des discoureurs et j'ai passé, pieusement, tout le reste de la soirée avec le souvenir de Catherine.

Les deux journées suivantes ont été, comme tu l'imagines, remplies par les séances du congrès, des promenades à travers Paris, des thés, des conférences et des harangues. Ce que j'attendais avec un peu d'inquiétude, c'était le fameux banquet du Palais d'Orsay, le banquet où devait parler M. Nicolas Rohner, mon savant maître.

Cette soirée a commencé par une histoire si ridicule que j'ai scrupule à la narrer, bien qu'il me faille absolument le faire.

Le dîner ne comportait pas moins de deux cents convives. Il y avait là des Français en grand nombre, des Anglais, des Allemands, des Américains du Nord et du Sud, quelques Italiens, quelques Russes, une pincée de Scandinaves, des Suisses, des Belges, un trio de Japonais, enfin des délégués de tous les instituts biologiques du monde.

M. Rohner est arrivé de bonne heure et il a

demandé tout de suite à voir le plan de la table qui se trouvait exposé dans un petit salon d'attente. M. Rohner a regardé le plan, très vite, et il a dit qu'il désirait parler aux membres du comité d'organisation. Plusieurs étaient arrivés déjà, que l'on a rassemblés non sans peine. Rohner avait l'air irrité ; son regard, d'un bleu polaire, lui pâlissait les joues. Il soufflait dans sa moustache et tirait sur ses doigts comme s'il eût voulu les arracher. Les membres du comité sont arrivés l'un après l'autre et, tout de suite, le Vieux a commencé de tempêter à voix couverte. Nous, les jeunes commissaires, nous écoutions, sans rien dire, massés dans l'ouverture des portes. Nous n'avons que trop vite compris la cause de cette algarade.

La table d'honneur devait être naturellement présidée par Clemenceau. A la gauche de Clemenceau devait s'asseoir M. Chalgrin, président du congrès, et, à la droite, M. Bouchard, président en exercice de l'Académie des sciences. Sur le bord opposé de la table d'honneur venaient, perpendiculaires, s'attacher les autres tables, en sorte que les places en vue, n'étant que d'un seul côté, se trouvaient assez peu nombreuses. On avait fait l'honneur de plusieurs d'entre elles à quelques hôtes étrangers. M. Rohner, sans être au bout de la table, était quand même assez loin du siège présidentiel.

Il a commencé par dire qu'il allait se retirer, car il ne pouvait consentir à ce que la science fût humiliée en sa personne. M. Perrier a posément fait observer que tous les convives étant des savants de mérite, la science était tout à fait hors de cause et n'avait à redouter aucune humiliation. Le Vieux a rétorqué tout aussitôt qu'il avait charge, ce soir-là, de prononcer le grand discours, qu'il se trouvait donc jouer un rôle essentiel dans la cérémonie, qu'il entendait obtenir la place digne de ce rôle et que s'il ne l'obtenait point, il préférait se retirer en emportant son discours. Quelqu'un — M. Dastre, je pense — a tout aussitôt répondu, citant une phrase fameuse : que toutes ces chicanes, à ses yeux, n'avaient aucune importance et que la place occupée par M. Rohner devenait tout aussitôt une place d'honneur.

Ces paroles conciliantes n'ont produit aucun effet. M. Rohner a dit à Roch : « Demandez au garçon qu'il m'apporte mon vestiaire, Je vais aller dîner chez moi. » La situation était des plus embarrassantes, parce qu'on avait besoin — du moins, c'est ce que l'on disait — du discours de M. Rohner et qu'on ne pouvait quand même pas le laisser prendre la fuite avec son discours sous le bras. Donc, ces messieurs se sont rassemblés devant le plan de la table. Rohner s'est assis dans un fauteuil, l'air féroce et le poil raide, et il a commencé d'attendre en se curant les ongles avec le coin de sa carte d'invitation. A deux reprises, on est venu lui proposer une place plus avantageuse. Il a chaque fois refusé, furieusement, d'un coup d'épaule. Il grondait : « J'en ai par-dessus la tête. Je ne veux pas qu'on se moque de moi. J'ai fait preuve de bonne volonté en acceptant de prononcer ce discours. Je ne souffrirai pas qu'on abuse de mon esprit de modération et de concorde. »

Pendant ce temps, les convives se répandaient dans les salons ou cherchaient leur place à table. Pour en finir avec une discussion si pénible, on est allé voir M. Chalgrin qui tenait le crachoir aux Belges. Les organisateurs l'ont pris à part et lui ont demandé, non sans embarras, s'il consentait à se laisser déplacer pour mettre fin à certaine discussion délicate avec l'orateur du jour. Mon cher patron a d'abord haussé les épaules. Il a répondu bientôt : « Que l'on me loge où l'on voudra, tout cela m'est parfaitement égal. » Puis il a paru comprendre à qui sa place allait être donnée. Il a battu des paupières et dit d'une voix frémissante : « Je laisse volontiers mon siège ; mais je veux que le geste soit remarqué. Je demande en conséquence un couvert au bout d'une table. Mettez-moi parmi mes élèves. Là, du moins, je serai tranquille et je ne m'ennuierai pas. » M. Dastre, qui est vraiment un homme de bonne volonté, a tâché de lui faire comprendre qu'on ne pouvait, lui, Chalgrin, président du congrès, le caser au bout d'une table sans qu'il s'ensuivît un scandale. Mon cher patron s'obstinait et ne voulait rien entendre. « Si, si, je dois être au milieu de mes assistants. Comme cela, tout le monde verra de quel côté est le bon sens. » Pour finir, il a cédé, car il était déjà très las. Il a haussé les épaules et accepté la place attribuée primitivement à Rohner.

Les organisateurs ont poussé de grands soupirs et ils ont recommencé de voguer à travers les groupes en attendant Clemenceau qui se trouvait fort en retard. Je peux t'avouer que j'étais assez curieux du visage de Rohner. Deux rides creuses et méchantes se tordaient sur son visage, de part et d'autre de sa bouche. Il riait, seul et tout haut, en cheminant parmi la foule. Je croyais qu'il était content, qu'il jouissait de son triomphe, et je le suivais, béant d'étonnement et peut-être d'horreur, comme les Barbares dont parle Flaubert.

Il a gagné la salle du banquet, puis, bientôt, la table d'honneur. J'ai pensé qu'il voulait prendre possession de sa place et j'allais le lâcher de l'œil quand je l'ai vu soudain faire une chose étonnante. Je t'ai dit que Clemenceau devait avoir à sa droite le président de l'Académie des sciences et à sa gauche M. Chalgrin, c'est-à-dire M. Rohner selon la convention dernière. Or le Vieux, parvenu près des places d'honneur, a lancé de tous côtés un coup d'œil prudent. Il a rapidement pris la

Les maîtres.

carte portant son nom et l'a mise à la droite du fauteuil présidentiel, puis il a, vice versa, vivement changé l'autre carte avec un geste de prestidigitateur. Pour finir, il s'est assis. En sorte que, quand Clemenceau est arrivé, Rohner se trouvait à sa droite et ne sourcillait même pas. Les organisateurs se sont aperçus trop tard du subterfuge. Il n'y avait plus rien à faire. Le président de l'Académie des sciences a déplié sa serviette sans prononcer une syllabe et j'ai compris, en regardant mon maître Nicolas Rohner, quelle force était, dans le monde, l'obstination des effrontés.

Les cuillers ont commencé de tinter contre la faïence, puis, pendant une grande heure, le turbot sauce tartare et le filet de marcassin ont paru — mais ce n'était qu'une apparence — jouer un petit rôle sur la scène. J'étais à l'extrémité d'une des tables secondaires, l'une de celles qui tombaient vers le centre de la table d'honneur. Je pouvais, de ma place, apercevoir M. Chalgrin, M. Rohner et « toutes les huiles », comme disait Sauvignet qui me faisait vis-à-vis. M. Chalgrin semblait calme et parfaitement apaisé. Rohner avait l'air de déchirer non des nourritures, mais des adversaires. De temps en temps, il riait, pour lui seul et dans son verre. Puis il se reprenait à mordre à belles dents de son râtelier. Chaque bouchée s'appelait Chalgrin.

L'heure est enfin venue du champagne et de l'éloquence. Clemenceau a parlé trois minutes, pas davantage, d'un air bourru, mais flatté. Clemenceau est médecin, malgré tout. Il a dû garder l'empreinte. Je crois qu'il méprise presque tout le monde. Il ne méprise peut-être pas les gens d'entre lesquels il est sorti, ceux auxquels il est redevable de ses disciplines premières.

On a beaucoup applaudi. Puis Rohner a pris la parole. Je sentais que le Vieux ne pouvait manquer de s'escrimer contre son ennemi détesté. Ce que nous avons entendu devait dépasser mes craintes. Imagine une minutieuse et corrosive réfutation du discours prononcé par M. Chalgrin dans la séance inaugurale. C'est d'autant plus étonnant que, cette fois, Sénac n'est pas en cause et que M. Rohner ignorait quatre jours auparavant le texte de M. Chalgrin. Dans la haine comme en amour, il y a de surprenantes divinations. N'oublie pas, pour tout comprendre, que Rohner n'a même pas une seule fois prononcé le nom de Chalgrin. Tout le monde connaît la querelle et pouvait subodorer la perfidie des allusions. Nous étions dix ou douze, tout au plus, nous les petits, les fidèles, à voir voler toutes les flèches, à compter toutes les blessures. M. Rohner, je dois le dire, malgré sa mimique excessive, est un habile orateur. Il a fini par obtenir un succès dont il jouissait d'une façon par trop visible. J'étais d'autant plus dégoûté que certains effets oratoires me divertissaient moi-même parfois ; j'étais d'autant plus écœuré que les mêmes gens qui, quatre jours auparavant, avaient applaudi mon cher patron à tout rompre applaudissaient du même cœur les thèses de son adversaire. Et les hommes qui se trouvaient là n'étaient pas ceux de la place publique. C'était la fine fleur de la société savante.

M. Chalgrin souffrait. Je te raconterai la suite de cet absurde festin de cannibale, un jour de la semaine prochaine. Pour ce soir, mon individualisme fait des progrès si considérables et montre des exigences telles qu'il me faut m'enfoncer dans une solitude parfaite où mon plus cher ami lui-même ne saurait avoir accès.

CHAPITRE XIX

J'avais à te donner des nouvelles de grande
importance, j'avais à te raconter les événements
qui, je peux le dire, m'ont bouleversé pendant
toute une semaine et me bouleversent encore. Je
ne te raconterai rien, du moins aujourd'hui,
parce que tu te plais à tout embrouiller, parce que
ton dernier message m'a mis hors de moi, parce
que tu ne lis peut-être même pas ces longues lettres
dont je m'arrache les syllabes du cœur et du ventre,
ces lettres que tu me réclames à toute force et qui
ne répondent sans doute guère à tes soucis les
plus brûlants.

Je ne vais pas, cette fois, m'attarder aux formules oratoires : « Qui t'a dit ?... Qui t'a pu dire ?... »
Je sais que, malgré mes avis, tu reçois et même
tu sollicites des lettres de Jean-Paul, qui est décidément une âme basse et perdue. Tout cela n'est
digne ni de toi, ni de moi-même, et ni surtout des
personnes que tu fais ainsi surveiller.

Pour comble à ses mauvaisetés, Jean-Paul

Sénac t'a donc appris que ma sœur Cécile allait épouser Fauvet. Un autre que Justin Weill, un homme courageux et fier, se dirait d'abord que Sénac est une canaille et repousserait le poison qui lui vient de ce côté. Un homme raisonnable et fort se dirait en outre que Cécile Pasquier a presque vingt-six ans, que c'est une très grande artiste et qu'elle a tout comme une autre le droit de faire ce qui lui plaît. Un homme de sens rassis se dirait même, pour finir, que ces avis officieux sont peut-être fantaisistes.

Car, enfin, moi, Laurent, je ne sais rien de certain. Je vois ce que tout le monde peut voir. Je vois que Cécile ne repousse pas Fauvet et qu'elle sort parfois avec lui, ce que nous savons l'un et l'autre depuis déjà bien des semaines. Cécile ne me cache rien, du moins je le crois, du moins je veux le croire. Le jour qu'elle décidera fermement de se marier, je le saurai sans doute avant tout le monde et je te le dirai, Justin, au risque de te faire souffrir, parce que je connais ta vie, que j'ai vu grandir ton amour, que je veux croire tes plaies cicatrisées, malgré les apparences, enfin parce que je t'estime.

Cette dernière vilenie de Sénac aura du moins, en ce qui me concerne, produit un résultat. J'ai décidé carrément de rompre avec Sénac, de l'abandonner à sa malveillance, à ses cauchemars, à sa misère, à ses cabots, à son casse-patte, à sa solitude bilieuse. Et comme je déteste les sanctions platoniques, je suis allé jusqu'à l'impasse. C'était ce matin, mardi. J'étais encore tout remué de ce qui s'est passé, hier, à l'Académie des sciences, entre Rohner et mon patron — scène que je te raconterai plus tard, bientôt sans doute, quand je me sentirai capable de m'écouter paisiblement. — J'étais, au souvenir de ces derniers jours, ému, tour à tour, de colère et d'admiration, mais j'avais

213

ta lettre en poche et je marchais d'un bon pas, tout à mon désir de liquider Sénac, d'en finir avec Sénac, d'ouvrir et de vider l'abcès.

Il n'était pas beaucoup plus de huit heures et demie du matin. Les maquignons, à l'entrée de l'impasse, commençaient de sortir les bourrins et de leur distribuer des coups de bottes en leur parlant ce rude jargon chevalin qui déchire la gorge et les oreilles, mais que les bêtes entendent. Plus loin, les menuisiers commençaient à tirer des planches, à longs coups de leur varlope, de beaux copeaux odorants. Plus loin, c'était le silence et, tout au fond du silence, la turne de Jean-Paul Sénac.

Elle était comme la source et le principe du silence : le glaçon dans la glacière, le brandon dans la fumée. J'ai frappé deux ou trois fois. Les chiens se sont mis à hurler ; la porte est restée close. J'ai pensé que Sénac était sorti de grand matin et j'allais me retirer quand un doute m'est venu. Tu te rappelles qu'à Bièvres le réveil de Sénac était, pour nous tous, chaque jour, une véritable épreuve. Sénac s'endormait tard et non sans difficulté. Il était presque impossible de l'arracher à son dormir, à l'abîme de sa nuit. Il sortait de là titubant, ahuri, le poil terne et la pupille embrumée. C'était, chaque matin, pour nous tous, un problème, une angoisse, une entreprise que de réveiller Sénac. Je me suis rappelé tout cela comme j'allais prendre la fuite. J'ai donné, dans le battant de la porte, deux ou trois coups de pied et j'ai fini par surprendre, malgré les cris de la chiennaille, un pas humain, des bruits humains.

Sénac est venu m'ouvrir. Il était en chemise de nuit. Il montrait ses jambes un peu torses et couvertes de poils noirs. Il avait l'air d'un mouton qui a un ver dans la cervelle et qui va se prendre à tourner.

214

Il m'a dit :

— Je n'ai pas chaud, tu permets que je me recouche ?

Il s'est glissé dans son lit et, comme je ne disais rien, il a commencé de discourir d'une voix molle sur des histoires politiques dont je n'ai pas la moindre idée : la grève des postiers, les armements de l'Angleterre. Je le regardais avec attention, sans toutefois ouvrir la bouche. Alors il s'est répandu, comme tu sais qu'il fait toujours, en propos vagues et rabâcheurs : qu'il n'était pas du tout fait pour moisir dans la paperasse, qu'il détestait Paris et plus généralement la France, qu'il aurait voulu voyager au Tibet, avec Sven Hedin, ou partir sur le *Nimrod*, avec Shackleton, pour le pôle Sud, qu'il se sentait tout à fait capable de réussir comme explorateur...

Mon silence devait le gêner, car il a cessé de parler, m'a jeté un coup d'œil en dessous et m'a dit :

— Tu sais peut-être que je travaille chez ton frère Joseph, maintenant ?

J'ai fait signe que je le savais, et je n'ai pas ouvert la bouche. Après un long silence, Jean-Paul a dit en soupirant :

— Alors, qu'est-ce que tu veux ?

J'étais maître de moi, très calme, sans colère et même sans rancune. J'ai répondu tout aussitôt :

— Tu peux fricoter à ton aise avec mon frère Joseph ; cela m'est parfaitement égal. L'affaire du manuscrit Chalgrin m'a douloureusement surpris. J'ai fait tout mon possible pour te démontrer à toi-même que tu n'étais pas une canaille, mais seulement un bavard, seulement un maladroit. Et voilà que tu recommences, voilà que tu fais souffrir des gens qui ne l'ont pas mérité, des gens qui ne te veulent aucun mal. Sénac, tu es une sale bête. Je suis venu pour te le dire et je m'en vais, c'est fini. Je ne viendrai plus jamais, je ne veux plus jamais te voir.

Je pensais qu'il allait gouailler et je me levais déjà pour gagner la porte et partir, quand il s'est mis à trembler, comme un paludéen, sous sa couverture souillée. Et voilà qu'une fois de plus je me suis senti très triste, car, avec ce damné garçon, jamais on ne sait au juste ce qu'il faut dire ou ne pas dire. Il tremblait de tous ses membres et gémissait :

— Ce n'est pas vrai! Ce n'est pas vrai! Je ne suis pas une fripouille, je ne suis pas un sale type. Je finirai par vous le prouver. Je dis seulement que personne ne m'aime ; personne ne pense à moi, ou bien c'est pour m'avilir et pour me faire du mal.

Il s'est appuyé sur son coude et j'ai vu que d'affreuses larmes lui sautaient des yeux. Il m'a dit, plus posément, des choses extravagantes :

— J'aurais pu, par exemple, épouser ta sœur Cécile. Mais vous étiez tous contre moi.

J'étais suffoqué d'étonnement. Sénac a fait, autrefois, quelques poèmes pour Cécile. J'avais toujours pensé que c'était en l'honneur de la musique plutôt que de la musicienne. On ne comprend presque jamais ce qui s'agite dans la profondeur des âmes.

Il s'est essuyé les yeux avec le dos de sa main et il a recommencé de trembler et de gémir :

— Je ne suis pas une canaille, malgré ce que pense de moi ton frère Joseph. Il faut quand même que je vive. Il faut que je gagne ma vie. Si j'étais né riche, comme tant d'autres, j'aurais été sûrement un autre homme, un homme gai, honnête et respectable.

J'étais quand même arrivé, pas à pas, tout près de la porte et les deux cabots me suivaient en flairant le bas de mon pantalon. Alors j'ai fait une chose très cruelle et très nécessaire : j'ai levé les épaules, j'ai dit « adieu! » Rien de plus. Je m'en suis allé pendant que les chiens, sur mes pas, recommençaient de clabauder.

Je te raconte ces misères, parce que tu m'y contrains et pour te sauver de pensées qui ne peuvent que te faire du mal.

Cette journée, qui commençait péniblement, s'est continuée dans l'inquiétude. M. Chalgrin n'a pas fait au Collège la plus furtive apparition. Son absence me tourmentait pour des raisons que je t'expliquerai tout à loisir un autre jour. Je suis allé déjeuner chez Papillon, puis je suis monté chez moi, rue du Sommerard, avant de me rendre à l'Institut. La concierge, au passage, m'a dit d'une voix sévère :

— Je pensais que vous étiez là-haut. Je viens de laisser monter une dame.

— Une dame! Quelle dame?

— Je ne sais pas, moi, je ne sais pas : elle est venue deux ou trois fois, rien que dans la matinée. Pour finir, elle est là-haut.

J'ai commencé mon ascension. J'étais si préoccupé de la tragédie Chalgrin-Rohner que, dès les premières marches, la dame était oubliée. La pensée m'en est revenue quand j'ai vu, sur le palier, une personne inconnue qui m'a fait un large sourire. Imagine une femme de quarante à cinquante ans — je ne suis pas très habile à ce genre de diagnostic — grande, large et même pesante, avec un énorme chapeau cloche tout alourdi de feuillages, une jaquette bordée de peau de lapin, une robe de huit mètres de tour, un col de dentelle remontant jusqu'aux oreilles, un sac, un parapluie, maquillée comme une patronne de maison close et l'air avenant d'une marchande à la toilette. Elle a ramené son sourire à des proportions humaines et m'a dit :

— J'allais m'en aller. J'ai quand même bien fait de venir.

— Mais, madame, qui êtes-vous ? Je n'ai pas l'honneur...

Elle a ri, vigoureusement :

— Vous n'avez pas bonne mémoire. Allons, rappelez-vous quand même. Voyons, Mme Solange... Permettez que j'entre un instant. Mme Solange Meesemacker, l'amie de votre papa.

Nous venions d'entrer dans ma chambre et, soudain, la mémoire m'est revenue. Je t'ai raconté, jadis, mon histoire avec cette dame. Elle était une des maîtresses de mon père aux environs de 1895, alors que nous habitions rue Guy-de-la-Brosse — tu t'en souviens ? — près du jardin des Bêtes sauvages... Elle avait écrit à mon père — c'est de Solange que je parle — certain billet que ma mère avait trouvé dans la poche d'un veston qu'elle était en train de brosser. J'étais allé chez cette dame — on est bête à quatorze ans — pour l'adjurer de se séparer de mon père et de nous laisser vivre en paix. Elle me l'avait promis, non sans comédies, non sans larmes, et je crois même qu'elle m'avait légèrement bécoté, comme cela, sans y attacher la moindre importance. J'avais été très fier de ce succès diplomatique, et j'avais découvert plus tard que mon père et dame Solange continuaient de se revoir et qu'on m'avait tout simplement couillonné, comme un pauvre gosse que j'étais... Je t'ai raconté tout cela, pendant nos promenades à Jouy. Comme c'est loin ! Comme c'est vieux !

Et voilà ! Tout à coup, j'ai senti que la vieille histoire allait s'adjoindre un chapitre et que rien n'est jamais fini. Je pense, à tête reposée, que j'aurais dû tranquillement ouvrir la porte et faire à la visiteuse un geste énergique et précis. Mais non, je suis un garçon timide et d'une politesse exemplaire. J'ai poussé l'une de mes deux chaises et Mme Solange s'est assise.

Elle a regardé posément mon mobilier de garçon

et elle a dit quelque chose de professionnel et d'original comme « C'est très gentil chez vous... ». Puis elle a commencé de bavarder avec une charmante aisance : « qu'elle regrettait beaucoup d'avoir perdu mon père de vue, que mon père était un monsieur de la plus grande distinction, qu'il n'était sans doute pas très généreux, mais seulement parce qu'il n'était pas très riche, que, pour rien au monde, elle n'aurait eu l'idée d'aller, même dans une circonstance difficile, risquer de troubler par une démarche indiscrète le ménage de M. Raymond Pasquier — on a du cœur quoi qu'il y paraisse —, mais qu'elle avait gardé le meilleur souvenir du jeune M. Laurent, qu'elle avait eu mon adresse tout à fait par hasard et qu'en souvenir de mon père et de ma visite rue de Fleurus, j'aurais peut-être la bonté de lui rendre un petit service, parce qu'elle se trouvait alors terriblement désargentée, enfin qu'elle saurait me prouver sa reconnaissance d'une manière ou d'une autre... »

Elle parlait, elle parlait, et, petit à petit, dans les traits de cette vieille femme, je retrouvais la belle fille dont l'odeur m'avait, jadis, presque ému, presque enivré.

Je suis allé jusqu'au tiroir de la commode et j'en ai tiré quelque chose comme un billet de cinquante francs, que j'ai tendu, sans rien dire, et qu'elle a pris.

Elle s'est levée tout de suite et m'a saisi la main. Elle riait de la façon la plus naturelle du monde. Elle a regardé mon lit et puis elle a fermé l'œil gauche avec une force si parfaitement expressive que l'orifice palpébral a soudain reconquis pour moi sa dignité de sphincter.

Je dois manquer d'aptitudes pour les complications incestueuses de ce type exceptionnel. J'ai dit que j'étais pressé, que j'avais beaucoup de travail, et Mme Solange est partie.

Elle reviendra, j'en suis sûr. En descendant les marches, dix ou quinze minutes plus tard, j'ai retrouvé dans l'escalier cette odeur de peau d'Espagne qu'il faudra chasser de ma chambre à force de courants d'air.

J'ai dîné boulevard Pasteur, chez mes parents. C'était le repas mensuel où se réunit toute la famille. On est venu, vers neuf heures, chercher mon père pour un accouchement. Il s'est levé tout de suite. Il est toujours vif et courageux. Il piaffe et ronge son frein comme une bête de sang.

A peine était-il parti, maman m'a tiré par le bras et m'a doucement entraîné jusque dans le vestibule. Pour tout ce qui touche à nos relations intérieures, à nos rapports entre nous, membres de son clan, elle possède une sensibilité fort aiguë, presque maladive. Elle avait dû sentir qu'entre mon père et moi, Laurent, une ombre avait passé. Tout bas, mais avec insistance, elle a dit la vieille chanson :

— Qu'est-ce qu'il y a ? Comme je suis triste ! Il me semble, Laurent, que tu n'aimes plus ton père.

Pauvre maman, qui comprend tout et qui ne sait rien ! J'ai répondu de bon cœur :

— Mais si, mais si, j'aime papa, comme toujours, tu peux me croire. Il n'y a rien de nouveau, tu peux dormir tranquille.

Au fond, je ne mentais pas. Je ne déteste pas mon père. Je l'aime « comme toujours » et pas autrement que toujours. Je t'écrivais, au début de l'hiver : « Il y a longtemps que mon père n'a pas donné de ses nouvelles, il y a vraiment longtemps qu'il n'a pas fait quelque chose d'énorme. » Il me suffisait d'attendre. Je commence à comprendre que je le porterai toute ma vie, que je ne peux compter sans lui, qu'il est dans toutes mes pensées, qu'il est en moi, dans ma chair et dans mon âme, qu'il est préférable d'en prendre mon parti. Je répondrai de toutes mes fautes et de toutes mes erreurs. Ce n'est pas assez, je répondrai de toutes les fautes et de toutes les erreurs de mon père. Il me faudra, toute ma vie, songer à ses dettes, à ses maîtresses, à ses amis — il en a très peu — à ses ennemis — il les sème et les décourage — à ses goûts, à ses passions, à ses aventures, et sans doute à ses maladies qui survivront peut-être en moi quand il sera parmi les ombres.

Ce n'est pas cette lettre-là que je voulais t'écrire. C'était une tout autre lettre, toute éclairée, toute glorieuse. Tant pis, je ne t'admets, ce soir, qu'à partager mes ennuis. Tu ne mérites rien d'autre.

Mardi soir, 6 avril 1909.

CHAPITRE XX

ÉLÉVATION DE M. CHALGRIN. DEVOIRS D'UNE ARISTO-
CRATIE VÉRITABLE. GRANDEUR DE L'ÂME PURIFIÉE.
LA SEULE MORALE POSSIBLE. LA GALERIE DES
BUSTES. M. CHALGRIN TEND L'AUTRE JOUE. JOIE,
PUIS DOULEURS DE LAURENT. UNE LETTRE DE
JEAN-PAUL SÉNAC.

Tu n'auras pas attendu trop longtemps la lettre
que je voulais t'écrire ; mais les événements ont
encore marché plus vite que moi. La lettre heureuse,
tu ne la recevras jamais, cher Justin. Entre la plume
et l'encrier une ombre noire a pris son vol.

Le congrès s'est terminé voici presque deux semaines. Les assemblées de cette sorte sont toujours
très épuisantes pour ceux qui se trouvent y jouer
un rôle de premier plan. Je n'étais donc pas sans
inquiétude à l'endroit de mon patron. Je faisais
des vœux ardents pour qu'il retrouvât le calme du
laboratoire et qu'il fût vite ressaisi par le rythme du
travail. Les recherches sur la coqueluche sont loin
d'être terminées. Sternovitch et Fauvet vont chaque
matin dans les hôpitaux. M. Chalgrin, parfois, les
accompagne. Il faut, pour mener à bien des expériences de cette sorte, une discipline qui est, en même
temps, chaîne et bienfait, astreinte et bonheur.

Le congrès s'est donc séparé. Les étrangers sont

partis. Le silence est revenu dans les instituts et les écoles. J'ai d'abord pensé que les combattants d'hier allaient, à la faveur de la retraite, dénombrer et panser leurs blessures. Contrairement à mes prévisions, M. Chalgrin ne semblait pas anéanti par cette épreuve exhaustive. Il venait au Collège et passait tout son temps en conférences, en parlotes avec des amis ou confrères, parfois même avec nous autres. Je le sentais encore très exalté, très malheureux, travaillé sourdement par des idées de représailles, de recours à l'opinion, de justice et de châtiment. J'imaginais Mme Chalgrin pratiquant sur le pauvre grand homme des inoculations virulentes et j'étais très affligé.

C'est vers le milieu de la semaine dernière que le salut est venu, pas à pas, heure par heure, et, avec le salut, la résolution magnifique. Ne crois pas que je cède à l'orgueil si j'affirme ici que j'ai tout deviné, tout compris, l'un des premiers et peut-être le seul, oui, le seul. Je ne suis certes pas le plus brillant élève d'Olivier Chalgrin ; mais je l'aime et le vénère. J'ai toujours espéré de lui des pensées et des actes à la mesure de son âme. Il est donc bien naturel que la naissance de ces pensées, que la genèse de ces actes ne me soient pas demeurées insensibles.

M. Chalgrin s'est d'abord enfermé dans son cabinet de travail, tout seul et des heures durant. Il n'a reçu qu'une seule visite, celle de M. Dastre. Il a dit en l'accompagnant à la porte, mercredi soir : « Je vous affirme que je consens de bon cœur à m'humilier devant tout le monde ; mais devant lui, c'est difficile, devant lui, c'est impossible. Somme toute, c'est l'encourager à redoubler d'effronterie, de discourtoisie, d'orgueil. En outre, s'il voit que je cède, il aura la certitude que le bon droit est pour lui. Je ne peux pas imaginer qu'un geste d'apaisement va le faire changer de nature. Non, croyez-moi, mon ami, s'abaisser devant un homme de ce caractère, c'est abaisser en même temps la bonne foi, c'est préparer de nouvelles querelles, de nouvelles dupes, de nouvelles victimes. »

Dastre n'est pas revenu. Mon cher patron est retombé dans sa méditation solitaire. Le mot retombé n'est pas juste. Je sentais que, de jour en jour, sa méditation s'élevait et l'élevait en même temps, qu'il soutenait une lutte dont il allait bientôt sortir, je n'aurais pu dire comment. J'avais la certitude intime qu'il n'en pouvait sortir que de façon noble et sage. Il a commencé de sourire comme il souriait autrefois, quand il était pur de toute colère et de tout ressentiment. Il est devenu de nouveau mon maître, mon patron, mon cher modèle. Il s'arrêtait souvent dans le grand laboratoire, aux heures où je m'y trouvais ; il s'asseyait derrière mon tabouret et il se prenait à parler comme pour lui-même. Il a dit : « Les hommes ont à lutter contre toutes les forces de la nature et contre une infinité d'autres êtres vivants. Eh bien, cela ne suffit pas, il faut qu'ils se lancent les uns contre les autres et qu'ils s'entre-dévorent. Nous qui formons l'élite de la société, nous devrions donner au moins l'exemple de la concorde. Il faut croire que c'est vraiment très difficile de donner un tel exemple. Ce n'est peut-être pas complètement impossible. C'est un sujet sur lequel il m'arrive de réfléchir. »

Je n'ai rien dit, je ne pouvais rien dire. J'ai regardé mon maître avec une telle chaleur, avec un tel enthousiasme qu'il n'a pas pu n'en être pas touché.

Il m'a demandé, le lendemain :

— Êtes-vous libre lundi ? Pouvez-vous m'accompagner à l'Académie des sciences ?

J'ai répondu :

— Mais oui, patron. Je n'ai pas de travaux pratiques et, pour le reste de mes affaires, je peux très bien m'arranger.

La question n'avait rien pour me surprendre ou m'alarmer. Il m'est arrivé plusieurs fois d'accompagner mes patrons, soit à l'Académie des sciences, soit à la Société de biologie, soit encore à l'Académie de médecine. Je portais les documents, les livres, les préparations. J'ai donc répondu, tout d'un trait, tout uniment, d'un cœur allègre. Et j'ai senti presque aussitôt que le patron n'avait pas tout dit.

Il était sept heures du soir. Je venais de monter au Collège pour y surveiller mes animaux et pour y prendre leur température, ce que je fais toujours moi-même, avec le plus grand soin. Le laboratoire était silencieux et très pauvrement éclairé par une lampe assez chétive. Je me demande encore aujourd'hui si l'heure, l'ombre, le silence ont été pour quelque chose dans le besoin d'amitié que M. Chalgrin semblait éprouver soudain. Ces hommes, que l'on voit très grands, entourés d'une foule d'amis et d'admirateurs, ont parfois des minutes de solitude et de défaillance. Ils ont parfois besoin d'une oreille vacante. Enfin, je cherche des raisons parce que je me sens très indigne et que la pensée d'avoir été, pendant ces quelques minutes, le confident de mon maître me remplit de confusion. Il m'a mis la main sur l'épaule. Il disait, d'une voix très basse :

— Vous savez que j'avais un fils. Il est mort à l'âge de quinze ans, d'une broncho-pneumonie. Il aurait aujourd'hui votre âge, à peu de chose près. S'il était là, près de moi, ce soir, je crois que je lui parlerais comme je vous parle en ce moment. Oh! certes pas dans le dessein de lui donner une leçon ou un exemple. Je suis terriblement indécis, mon pauvre ami. Je crois pourtant que j'ai fini par trouver mon chemin dans toutes ces absurdes misères. Vous savez qu'il s'agit de cette malheureuse querelle avec M. Rohner. Je voudrais être bien sûr que, dans cette affaire, tous les torts sont de mon côté. Ce serait beaucoup plus facile. Malheureusement, je

ne le crois pas. Pour mieux dire, je n'en sais plus
rien. N'importe, je veux en finir. Vous savez que
M. Rohner affecte de ne pas me saluer. La situation
est nette. Nous avons passé vingt fois l'un près de
l'autre, pendant les dernières semaines, et M. Rohner a fait comme s'il ne me voyait pas. Je ne peux
pas vous dire que j'ai trouvé une solution très admirable. Je cherche et vais à l'aveuglette. J'ai résolu
de me rendre lundi prochain à l'Académie des
sciences. M. Rohner y viendra. Je suis même à peu
près sûr qu'il doit y faire une communication. Eh
bien, je l'aborderai, je lui tendrai la main, et même,
s'il le faut, je lui adresserai la parole. Voilà, ce n'est
pas grand-chose ; mais, si je n'en faisais rien, j'aurais le sentiment d'être au-dessous de moi-même et
j'en souffrirais beaucoup. Et puis, il ne s'agit pas
d'être au-dessous ou au-dessus de soi-même. Il faut
prendre une décision et je n'ai trouvé que celle-là.
C'est que voyez-vous ? Pasquier, on est très pauvre
et dépourvu quand on veut faire le bien. Ce n'est
pas comme pour le mal, où tout est vraiment plus
facile. Quoi qu'il arrive, c'est fini, je peux vous
l'affirmer, je ne sens plus d'animosité pour personne.
Je refuse tout nouveau combat. Je cède, vous comprenez, je renonce. Je fais la paix.

Il cherchait ses mots et les aventurait sans hâte,
revenant sur chacun d'eux, non pas comme un
infirme qui trébuche au hasard, plutôt comme un
inspiré qui découvre son chemin vers le jour, vers
l'issue. J'assistais à cet enfantement, moi, Laurent,
dans le plus exact silence. Je commençais à comprendre que les pensées les plus simples doivent
être, pour chacun de nous, repensées, à nouveau,
pour retrouver en chacun de nous leur force origi-
nelle. Je comprenais aussi que cet acte de recréation
des vérités élémentaires exige toujours un effort
démesuré, pour mieux dire un effort de commencement du monde.

M. Chalgrin répétait rêveusement : « Je fais la paix. Je la donne et je la demande... »

Il est possible que, dans la vie des peuples, cette morale que je voyais reprendre vie sous mes yeux soit maladroite et périlleuse. Je n'en sais rien, je ne suis pas et ne serai jamais un conducteur d'hommes. Dans la vie des esprits, dans la vie des âmes, il m'a toujours semblé que c'était la seule morale efficace et même possible, celle à laquelle nous arrivons après tous les déboires, tous les mécomptes et toutes les fautes.

Je ne me suis pas permis de prononcer une parole. M. Chalgrin a dû comprendre quels étaient mes sentiments, car il m'a pris par le col et il a posé légèrement sa joue contre ma joue comme si j'eusse été ce fils qu'il venait d'évoquer et de prendre à témoin.

Tout cela, c'était samedi. J'ai passé la journée du dimanche — celle de dimanche dernier — tout seul, à me promener dans les rues et les jardins. Je n'ai vu personne. J'aurais inventé bien des détours pour éviter une rencontre. Je suis allé jusqu'à l'Institut et, plus tard, jusqu'au Collège pour y surveiller mes bêtes. Le lendemain, lundi dernier, j'ai passé la matinée au laboratoire du Collège. Le patron n'est pas venu. Je sentais qu'il ne viendrait pas. Il m'a fait porter un mot pour me donner le rendez-vous. J'ai su, par la suite, qu'il était sorti tout seul et j'ai compris qu'il achevait, dans cette belle solitude, de se ressaisir de la paix, de se reconquérir lui-même, de se purger de toute pensée parasite.

Je l'attendais à trois heures dans la cour de l'Institut. Il est arrivé quelques minutes en retard. En quittant le fiacre, il m'a prié de porter sa serviette et nous avons commencé de gravir l'escalier.

Ce qui s'est passé ensuite, je vais tâcher de te le raconter dans l'ordre et sans beaucoup de mots.

Il y avait du monde, en haut, dans la salle des bustes. M. Chalgrin s'est avancé très vite à travers les groupes. Il cherchait M. Rohner. Il marchait comme un homme qui ne peut pas se laisser distraire avant d'avoir atteint le but.

M. Rohner était assis sur une des banquettes de velours qui se trouvent sous les fenêtres. Cinq ou six de ses confrères étaient rassemblés en ce point et devisaient tous ensemble. Ils ont vu M. Chalgrin s'approcher d'un pas si ferme qu'ils se sont tous écartés. M. Chalgrin s'est arrêté devant Rohner. Il était alors dans le plein jour des fenêtres et, comme je le suivais, j'ai pu voir qu'il était fort pâle, plus pâle que de coutume, et que ses lèvres frémissaient. Il s'est fait, dans cet endroit, un silence presque terrible, et M. Chalgrin, sans rien dire, a tendu la main.

Je connais bien M. Rohner. Il avait son visage raviné par de lentes et roides grimaces. Il avait ce regard bleu-blanc qui n'est pas un regard humain, mais bien plutôt celui de quelque bête cruelle. Il a considéré longuement la main de M. Chalgrin et il n'a fait, pour la prendre, pas même l'ébauche d'un geste. Il est resté là, comme une statue de la détestation.

M. Chalgrin n'a pas retiré sa main. Il attendait, il attendait, la respiration coupée. Il attendait et j'ai compris qu'il n'avait pas encore fini, qu'il avait encore quelque chose à faire, qu'il lui restait, si j'ose dire, à tendre l'autre joue et que c'était très pénible et que c'était même déchirant, mais qu'il ne reculerait point.

Il a dit, d'une voix très faible, nette et bien articulée :

— Monsieur Rohner, s'il a pu m'arriver de vous offenser dans mes paroles ou mes écrits, sachez que je le regrette et que je suis venu ce soir vous en demander pardon.

M. Rohner s'est levé. Toute sa petite personne était rigide, bandée, sans défaillance et sans tremblement. Il a fait, avec sa tête, le signe de la négation. Il a mis les mains dans les poches de sa veste et posément, sans un regard, il est parti. Je l'ai vu presque aussitôt qui pénétrait dans la salle des séances.

Un grand silence régnait maintenant dans la salle des bustes. M. Chalgrin a laissé retomber sa main et s'est tourné vers la porte. Il est sorti en trébuchant. Je le suivais comme son ombre et, pour descendre les degrés, je lui ai tendu le bras.

M. Chalgrin n'a pas de voiture. J'ai dû héler un fiacre. Je voulais monter avec lui, l'accompagner. Il m'a signifié qu'il préférait rester seul. Je n'avais plus rien à faire dans cette maison solennelle. Je suis parti au hasard. Je n'étais pas du tout désespéré. Je n'avais pas du tout, en pensant à mon cher patron, le sentiment d'un échec, mais au contraire celui de la victoire, de la seule victoire possible, et j'aurais voulu chanter.

J'ai trouvé ta lettre en rentrant à la maison, le soir de ce grand lundi, c'est-à-dire avant-hier. Tu peux comprendre maintenant pourquoi ta lettre tombait mal.

Ma journée de mardi, je te l'ai racontée tout au long dans ma lettre d'hier soir. Je peux bien t'avouer que Sénac et dame Solange, voilà qui ne s'accordait guère à la marche de mes pensées.

De toute la journée d'hier, je n'ai rien su de mon cher patron Chalgrin. On papotait, à mots couverts, dans les laboratoires, sur la scène de la veille, la scène de l'Institut. Je ne voulais rien entendre et je n'ai rien entendu.

Ce matin, je suis allé jusque chez M. Chalgrin, car j'étais quand même trop inquiet.

L'appartement était dans le plus grand désordre et sentait la pharmacie. Mme Chalgrin a traversé le vestibule en peignoir, en bigoudis, le visage creux, la bouche mince. Elle n'a pas eu l'air de me voir. La bonne, que je connais bien, m'a dit que mon cher patron était revenu lundi soir avec un grand mal de tête et qu'il avait dû se coucher, qu'il avait eu, dans la nuit, quelque chose comme une attaque et que les médecins pensaient qu'il était paralysé, mais qu'il ne fallait pas le dire.

J'ai couru chez Legry, qui connaît mon patron depuis la petite enfance et qui le soigne au besoin.

Je sais, maintenant, je sais. M. Chalgrin a fait un ictus avec hémiplégie droite. L'hémorragie doit être considérable, car il est encore dans le coma. Legry n'ose pas se prononcer. Mme Chalgrin s'oppose à ce qu'on publie les nouvelles. C'est un vœu dérisoire. Demain, tout Paris saura...

J'ai trouvé, sous ma porte, en revenant chez moi, ce soir, une lettre où je reconnais l'écriture de Sénac. Eh bien, qu'elle reste là. Je ne la jetterai pas ; mais je ne veux pas la lire tout de suite. Le monde est assez confus. Il ne faut mêler quand même ni les idées ni les hommes. Tu vas peut-être penser que je ne mets pas en œuvre la leçon que j'ai reçue. Je ne sais pas. Je verrai. Sénac ne m'a pas offensé. C'est beaucoup plus grave : il me dégoûte et me désespère. Est-ce que l'on peut empêcher cela ? Est-ce que l'on peut pardonner cela ?

Mercredi 7 avril 1909.

CHAPITRE XXI

APPEL AU BORD DE L'ABÎME. JOSEPH PASQUIER DONNE
L'ALARME. UN MESSAGE DE JEAN-PAUL. EXPÉDITION
MATINALE. EFFETS DE L'ACONITINE. ADIEU DE MI-
GNON-MIGNARD. « DE PROFUNDIS » LA PRISON DE
CHAIR VIVANTE. UN JOUR NOUS DEVIENDRONS DES
MAÎTRES. LA MALADIE DE ROHNER. UN ÉQUILIBRE
COMPROMIS. LE MAÎTRE, LE SAINT ET LE HÉROS.
VITRAUX ET LIVRES D'IMAGES. FONDEMENTS
DE L'OPTIMISME. LE QUART D'HEURE D'UN HOMME
ADMIRABLE. SILENCE AU LABORATOIRE. RETOUR
DU PRINTEMPS.

J'avais d'abord pensé qu'au reçu de mon télé-
gramme tu te dégagerais pour un jour et viendrais
jusqu'à nous. Tu n'es pas venu. Je ne t'en fais pas
reproche. Il me semble même comprendre toutes
les raisons de ton absence et de ton abstention. Je
sais que tu m'aimes toujours de la même amitié
fraternelle, pourtant nous arrivons à l'âge où force
nous est d'opter pour les problèmes élus. Et s'il est
à ton retranchement des raisons plus douloureuses,
plus secrètes, tu sais bien que je les connais et même
que je les éprouve.

A la faveur d'une grande journée de retraite dans
mon petit laboratoire — celui de l'Institut — je vais
t'apprendre ce que tu ne sais pas encore.

231

Cette lettre de Sénac, j'aurais dû l'ouvrir tout de suite. J'ai eu tort et tu m'en vois désespéré. Mauvaise humeur, lassitude, tout cela ne signifie rien. Mille billets inutiles ne me décourageront plus jamais d'ouvrir le mille et unième. On ne sait jamais ce que porte une lettre. C'est peut-être un appel, un cri. C'est peut-être le soupir suprême d'une âme encore suspendue à l'extrême bord de l'abîme, au-dessus des ténèbres et des fumées de son propre abîme.

Que veux-tu ? J'étais excédé de Sénac. J'étais même tourmenté par la peur de la contagion, oui, la contagion du néant. Sénac m'a dit un jour : « Je ne crois à rien, même pas au néant. » Cette phrase extravagante signifie justement qu'il était obsédé par le sentiment du néant, qui peut nous torturer tous à certaines heures et qui, lui, ne le lâchait point.

Et puis, j'étais loin de Sénac. Toutes mes pensées demeuraient au chevet de M. Chalgrin. Et puis, et puis, le besoin romantique de me prouver à moi-même que j'étais capable de rigueur et de suite dans le ressentiment... Une semaine a passé, plus d'une semaine peut-être. Étrange à dire, c'est Joseph qui m'a donné l'alarme. Il est venu me voir au laboratoire, ce qu'il fait parfois quand il a, non certes du temps à perdre, mais une pensée qui le tracasse. Au moment de s'en aller, il m'a dit soudain :

— Je n'ai pas vu Sénac depuis quatre ou cinq jours. Et il ne m'a pas fait tenir le moindre billet d'excuse. Je n'aime pas beaucoup cela. Même d'un hurluberlu, j'attends un peu plus d'étiquette (*sic*).

Joseph est parti donc et cette phrase est demeurée dans un coin de ma mémoire comme un parasite bien toléré qui ne donne pas encore de trop vives démangeaisons. C'est la nuit que je m'en suis souvenu. C'est la nuit que toutes les idées prennent leur visage d'angoisse. Comme je ne dormais pas trop

232

bien, j'ai fini par allumer ma lampe et par chercher la fameuse lettre. Elle disparaissait déjà sous un grand amas de paperasses. Je l'ai tout de suite ouverte. Elle était écrite au crayon et ne contenait que trois ou quatre lignes. J'ai reconnu l'écriture de Sénac, déformée, presque illisible.

« *Ce n'est pas vrai, ce n'est pas vrai, Laurent. Je ne suis pas une canaille. Et même je vous le prouverai à tous, à ton frère Joseph et à toi surtout. Attends, attends seulement que je rassemble mon courage.* » Il avait signé ce billet de son initiale, un S, dont la queue s'enfuyait en se tortillant jusqu'au bas de la page.

J'ai soufflé la lampe et me suis recouché tout de suite. C'est un peu plus tard que la lettre de Sénac a commencé de fermenter dans le demi-cauchemar. Quand l'aube est venue, j'étais tout à fait réveillé. Je savais. Tu comprends bien : je savais.

Pour ne pas arriver trop tôt, j'ai fait le chemin à pied en remontant la rue Saint-Jacques, puis la rue de la Tombe-Issoire. Quand je suis entré dans l'impasse, il était à peu près huit heures. Je me suis bien gardé d'interroger qui que ce fût. Sénac n'avait pas de voisins. Il n'adressait jamais la parole aux ouvriers menuisiers ni sans doute aux maquignons. Et puis, je te l'ai dit, pour arriver au fond de l'impasse, il faut traverser une zone vraiment désertique · écuries, remises, terrains vagues, masures abandonnées.

Je pensais qu'au bruit de mes pas les chiens allaient hurler. Je n'ai d'abord entendu que le grincement des griffes sur le bois de la porte. Ils n'ont donné de la voix qu'en m'entendant frapper. Ils n'aboyaient pas à plein poumon. C'était plutôt une lamentation aiguë, entrecoupée, très effrayante. Enfin, j'ai cru comprendre qu'il n'y avait qu'une seule bête. J'ai frappé, de nouveau, très fort, et, de nouveau, de nouveau, pendant cinq grandes minutes, car je songeais au sommeil de Sénac, à son terrible sommeil ordinaire.

J'ai finalement cessé de frapper et le chien a cessé de se plaindre. A ce moment-là, j'ai vu, sous la porte, passer le coin d'une lettre. Je ne sais si c'est une faute, mais j'ai tiré la lettre. J'ai reconnu ton écriture. La lettre était timbrée du 10 avril. Elle devait être là depuis six jours pour le moins. Je l'ai reglissée sous la porte.

Il fallait sans hésiter prendre une détermination. Je suis sorti de l'impasse et j'ai commencé par marcher doucement en pesant toutes mes pensées. Puis j'ai pris un fiacre et je suis allé boulevard du Montparnasse, chez Vuillaume. Il sortait à peine du lit. Je t'ai dit que Sénac voyait assez souvent Vuillaume. Nous prenions, autrefois, tous ensemble nos repas chez Papillon. Vuillaume est un garçon sérieux, un peu flegmatique, un peu lent. Il est résolu fermement à faire une belle carrière. Il n'est pas trop susceptible d'élan. Quand même on peut lui demander un service. Je lui ai dit toutes mes craintes au sujet de Jean-Paul Sénac et qu'il fallait prévenir la police, puis faire ouvrir la porte, que nous serions peut-être rassurés et que je le souhaitais du fond du cœur ; mais qu'on ne pouvait plus attendre. Vuillaume a dit : « Je te suis. » Il a presque tout de suite ajouté : « Nous devrions prendre Roch. Il habite avenue du Maine. »

C'était assez raisonnable. Nous sommes allés chercher Roch et, de là, chez le commissaire. Il était à peu près neuf heures et l'on nous a fait attendre. Une chose aussi simple paraissait très difficile à ces messieurs. Alors, Roch a dit qu'il connaissait M. Lépine et qu'il allait téléphoner. Les choses ont changé de tournure. On nous a donné deux agents et un flic en civil. Ce n'était pas encore assez. Il fallait un serrurier. Nous l'avons pris en route. Il était au moins dix heures du matin quand nous sommes arrivés dans l'impasse. On a frappé plusieurs fois et, comme le serrurier commençait à chercher ses passe-partout dans la trousse, le flic en bourgeois a dit : Ça ne sent pas bon. » Nous avons tous en effet reconnu qu'une odeur très inquiétante rôdait dans le fond de l'impasse. Je pensais encore que ce pouvait venir des chiens. On entendait toujours hurler, de l'autre côté de la porte, et toujours une seule des bêtes.

Pour finir, la porte a cédé. Nous sommes entrés ensemble.

L'odeur nous a sauté tout de suite au visage.

Sénac était sur son lit, presque nu, noir et si gonflé qu'il était méconnaissable. Les chiens avaient déchiré les draps et la chemise. Une des jambes du cadavre était à demi dévorée. Tout cela, nous l'avons découvert dans une sorte de bousculade. Les agents avaient peur des chiens. Or, l'un des chiens était mort. C'était le nouveau pensionnaire, le berger allemand, la bête féroce. Mignon-Mignard vivait encore. Nous avons bien vu que le chien nouveau venu, celui que j'appelle, à tort sans doute, la bête féroce, était mort de faim. C'est Mignon-Mignard seul, sa gueule en portait témoignage, qui a mis les crocs dans le cadavre de son maître. Je ne peux penser à ce trait sans horreur. Sénac aimait les bêtes, pourtant il y avait dans cet amour quelque chose de trouble et de cruel, quelque chose, pour nous, de peu compréhensible. Mignon-Mignard vivait encore et même cette bête minable montrait les dents et grondait. Un des agents l'a tué, tout de suite, d'un coup de revolver.

C'est à ce moment-là que nous avons découvert, sur la table, près du lit, le flacon d'aconitine. Je l'ai reconnu tout de suite. C'était un flacon du Collège. La solution d'aconitine, à un pour mille, dont le patron se servait pour étudier l'effet de ce poison sur le cœur. Le flacon avait disparu vers la fin de l'automne. Le patron pensait qu'il avait été brisé, mais que le garçon ne voulait pas le dire. Il manquait beaucoup de liqueur dans la bouteille. L'aconitine exerce d'abord une action vomitive et nous avons bien vu que Sénac avait vomi. La dose était si forte que, malgré les vomissements, elle a pu se trouver mortelle. Sur la table, près du flacon, se trouvait un bout de papier. Sénac avait écrit, toujours au crayon : « J'ai chipé l'aconitine chez M. Chalgrin, au début du mois de décembre, avant d'être renvoyé. » Un peu plus bas, il avait ajouté : « Je vais en boire la moitié, ce doit être suffisant. » Et toujours l'S, l'initiale, avec une longue queue bouclée.

Si Jean-Paul a volé ce flacon dès le mois de décembre, c'est, tu le comprends bien, Justin, que l'idée du suicide était très ancienne chez lui. Je ne dis pas cela pour diminuer ce qui représente à mes propres yeux ma part de responsabilité dans ce malheur et peut-être même la part de responsabilité de... Joseph, oui, de Joseph, dont je ne sais trop que penser. Ne crois pourtant pas, je t'en prie, qu'une parole un peu brutale aurait pu suffire à déterminer ce malheur. Non non, sans ma sévérité, dis-toi, laisse-moi te dire, que Jean-Paul serait mort quand même, qu'il en était à ce point de négation et de refus où la mort seule semble possible et nécessaire.

Les agents nous ont priés de sortir. Ils devaient retourner au commissariat, poser les scellés, accomplir enfin toutes les formalités d'usage. Nous sommes sortis tous les trois. Vuillaume, qui souffre de blépharite chronique, a toujours l'air de pleurer. Il ne pleurait pas. Il était, comme Roch et comme moi-même, à peu près muet d'affliction.

Il y avait, dans un angle des masures, un lilas protégé du vent et qui commençait à fleurir. Nous l'avons vu tous trois ensemble et nous l'avons regardé comme des naufragés regardent une bouée dans la tempête.

Le corps de Sénac a été transporté le jour même à la Morgue. Le billet trouvé sur la table et le flacon d'aconitine ont simplifié bien des choses. On a délivré tout de suite le permis d'inhumer. Savais-tu que Sénac avait un frère ? Il n'en parlait jamais. Nous l'avons vu, le jour de l'enterrement. C'est un brave garçon, chauve, à grosse moustache. Il pleurait et racontait en reniflant d'absurdes histoires de leur enfance, des histoires que nous n'imaginions que trop bien : Jean-Paul arrachait les ailes des mouches, il se donnait des claques devant la glace, tout seul, pour se faire pleurer, il se retournait les paupières pour effrayer les copains. Pauvre Jean-Paul ! Que la paix soit avec lui !

L'enterrement a eu lieu mardi dernier, au cimetière de Bagneux. Il faisait une douce matinée de soleil fragile, un temps de pardon.

Si j'étais sûr que Sénac jouit vraiment de ce néant auquel il disait ne pas croire, si j'étais sûr que le fantôme douloureux de Sénac ne sortira pas de Bagneux, si j'étais sûr que le triste génie de Sénac a vraiment déserté le monde... N'avait-il vraiment que cette manière atroce de nous faire connaître son message, de nous signifier notre erreur ? Eh bien ! non, je ne le crois pas.

M. Chalgrin va mieux. C'est ainsi que s'expriment Legry et Dieulafoy dans les bulletins de santé publiés par la grande presse. J'ai, par faveur exceptionnelle, obtenu de rendre visite à mon cher patron, chaque matin. M. Chalgrin est en effet sorti du coma vers le quatrième jour. L'hémiplégie droite est complète et l'aphasie non moins grave. J'ai rencontré Georges Dumas qui connaît bien mon patron. Il pense que l'hémorragie doit être considérable. On ne peut pas encore se prononcer sur l'avenir, mais Dumas a peu d'espoir.

Mon patron ne parlera sans doute plus. Il semble reconnaître les visages et c'est tout. Nous ne saurons peut-être jamais ce qui vit encore dans cette âme. Serait-il favorisé d'une amélioration organique sensible, il est à craindre que l'intelligence ait reçu des blessures inguérissables. Nous ne pouvons même pas savoir s'il a quelque idée de son état et s'il en est affligé. Lui qui aimait de laisser jouer ses sens avec une subtile allégresse, le voilà, pour longtemps peut-être, enfermé dans la prison de chair vive, en attendant les bonnes grâces de la délivrance. Lui dont l'esprit volait et planait sans chaînes et sans frontières, le voilà désormais muré dans l'ombre d'un caveau. Je pense avec douleur que les recherches en cours ne seront jamais terminées. Nous autres, les élèves, nous ferons ce que nous pourrons. Il nous faudra beaucoup de temps pour devenir à notre tour des maîtres, si du moins nous sommes désignés pour devenir des maîtres.

Suivant la coutume du Collège, on va conserver à M. Chalgrin sa chaire et son traitement. Mon patron n'a pas fait fortune. On ne le laissera quand même pas végéter et périr dans la misère.

M. Nicolas Rohner a publié ces jours derniers un mémoire sur le *Streptococcus Rohneri* et sur la maladie nouvelle dite maladie de Rohner. Il paraît que Catherine Houdoire est morte d'une endocardite et d'une néphrite, caractéristiques toutes deux et vérifiées au microscope, sur les coupes histologiques.

M. Rohner travaille beaucoup, avec une sorte de rage. Il ne fait pas la moindre allusion au terrible coup qui frappe M. Chalgrin. Je commence à bien connaître M. Nicolas Rohner et je peux t'affirmer qu'il est, malgré cette fringale de labeur, malgré les communications aux sociétés savantes et les notes dans les journaux, je peux t'affirmer qu'il est complètement désorienté, désemparé. On croirait qu'il a perdu, avec son adversaire, le sens même de la vie, le juste sens de l'équilibre. Je me dis, à le regarder, qu'il en pourrait très bien mourir. Il faut beaucoup de temps pour couver, nourrir et choyer une haine de belle taille. Si M. Rohner ne trouve personne à détester, il se peut qu'il soit perdu.

Je me résigne assez bien à l'idée de travailler, s'il vit et s'il persévère, avec ce rude et méchant homme. Il m'apprendra sûrement quelque chose. Je ne lui demanderai que ce qu'il peut me donner.

Tu le vois, je deviens sage. Qu'un maître nous enseigne à colorer une préparation et à inoculer correctement un virus, vraiment, ce n'est pas rien et cela devrait nous suffire. Mais non! Nous voulons que notre maître soit un saint et un héros! Nous lui demandons tout et, quand il a donné tout, nous lui demandons le reste, au risque d'être déçus s'il ne peut nous contenter.

Je commence à voir le monde avec un peu plus de sang-froid. Les hommes admirables! J'ai pensé, pendant huit jours, qu'ils étaient une réalité dans la mesure où nos besoins et nos rêves sont des réalités. Ce n'était pas même juste. Le pessimisme rejoint souvent l'optimisme dans la niaiserie verbeuse et la passion des générations oratoires. Des hommes admirables! Il y en a. J'en ai connu. J'en connais. Ils ne sont pas admirables partout et toujours. Ils sont admirables quand les circonstances les portent et que l'inspiration les visite. Tant mieux pour ceux qui sont là. Il faudrait se contenter de ce que l'on possède. L'absolu! La perfection! Les saints des vitraux! Les héros des livres d'images! Oui, c'est très beau, c'est très touchant. J'apprends tout doucement à vivre avec des êtres imparfaits qui ont parfois de belles heures, parfois des minutes éblouissantes. Ce n'est pas toute la journée qu'on voit la flamme au fond de l'œil et le signe entre les sourcils. Les grands hommes se détestent les uns les autres presque toujours, surtout quand ils se trouvent lâchés dans la même carrière. Les grands hommes se plaignent amèrement d'être méconnus de la foule, de la malheureuse foule qui a déjà si grand-peine à comprendre, une fois de temps en temps, les vérités élémentaires. Ils se plaignent d'être méconnus, mais, entre eux, ils ne font presque jamais rien pour se voir dans une saine lumière et pour se rendre justice.

N'importe! Je ne quitte pas la partie. Ne te méprends pas, vieux frère, au son de mes paroles. Les grands hommes se chamaillent; la pensée marche quand même. Le monument du savoir s'édifie, malgré les querelles. Toutes les feuilles sont gâtées, tous les arbres sont malades, mais la forêt est magnifique.

Des hommes admirables! J'en ai cherché, j'en cherche encore. J'en trouve : tantôt des miettes et tantôt de très beaux morceaux. Mon cher patron Chalgrin était un homme admirable presque toute la semaine. Et Rohner? Eh bien, Rohner, il est admirable quand je le regarde à la loupe et en détail. Il faut chercher sans défaillance. Il faut arracher tous les masques, ouvrir toutes les portes, contourner tous les obstacles et soulever toutes les pierres. Oh! je ne suis pas déçu. S'il m'arrivait un jour d'être déçu... Mais non, je ferai mon optimisme de toutes mes déceptions.

Figure-toi qu'hier, pendant plus d'un bon quart d'heure, j'ai pu voir un homme admirable. Tu te demandes qui c'est. Eh bien, je te le donne en mille. C'était — car cela n'a pas duré, l'imparfait est de rigueur — mon père, l'honorable docteur Raymond Pasquier. Il est venu me chercher à l'Institut et m'a prié de l'accompagner chez un de ses malades.

Voilà une chose qu'il fait rarement. Il pratique la clinique pure, à l'ancienne mode. Nous, médecins de laboratoire, il nous considère un peu comme des dilettantes. N'importe, il s'était mis en tête de nous demander un examen de sang et même une hémoculture. Je suis allé faire la prise. C'était rue du Cotentin, au bord de notre ancien quartier. Une rue où l'on entend nos trains de la rue Vandamme. Imagine de très pauvres gens qui vivent à six dans un logement de deux pièces. J'ai fait ma prise de sang. Mon père était très calme, silencieux, respectueux. Il me laissait accomplir les rites de notre magie qui n'est pas tout à fait la sienne. La prise faite et mes tubes rangés, mon père est entré en scène — le mot dit bien ce qu'il veut dire. — Il a longuement examiné sa malade et de façon très adroite. Puis il s'est mis en colère parce qu'elle était mal couchée. Il a voulu refaire le lit, tout de suite, à sa façon. Il fouillait dans l'armoire, engueulait la fille aînée, bousculait le mari, mouchait les marmots. Pour finir, il a balayé la chambre et ouvert les fenêtres. Je ne sais si les malades aiment beaucoup ces manières, mais quand mon père, au moment de sortir, a repris son chapeau haut de forme, la chambre était en ordre, la malade respirait mieux et reposait dans un lit propre. Il y avait, à la muraille, un morceau de glace grand comme la paume, maintenu par deux ou trois clous. Mon père, en passant là-devant, n'a pas pu s'empêcher d'y jeter un coup d'œil et de donner une caresse à ses longues moustaches d'aurore. Voilà! C'était fini. Le quart d'heure de grandeur s'éloignait déjà dans l'histoire. L'homme retombait soudain sur ses quatre pattes. C'est ainsi qu'il restera jusqu'à la prochaine victoire.

Je n'ai pas revu dame Solange. Oh! je la verrai revenir. L'avenir de mon père ne me tourmente pas trop en ce moment et son passé me fait la grâce de se tenir en repos. Voilà ce que j'appelle un concert de chances.

Je ne te dis rien, Justin, du mariage de Cécile avec Richard Fauvet. Je sais que Cécile a dû t'écrire. Elle m'en a parlé, l'autre jour, après son concert. Quant à Richard, il ne m'a pas fait l'honneur de me confier quoi que ce fût de cette extravagante histoire.

Je t'écris de mon petit laboratoire dont la fenêtre unique donne sur les verdures naissantes. La centrifugeuse tourne et bourdonne derrière moi. Les cobayes remuent dans leur cage et me considèrent avec leur petit œil vif et intelligent. Si je les regarde, moi-même, avec un peu trop d'attention, leur cœur, je le sais, se prend à palpiter plus vite. Ce sont des animaux très sensibles. Nous les tourmentons, au nom de la famille humaine à laquelle ils n'appartiennent pas. Il faut limiter sa patrie si l'on ne veut pas mourir.

Il fait un beau jour de printemps. Les narcisses vont refleurir dans le jardin de l'Institut.

CHAPITRE I. Retraite studieuse. Un portrait de Joseph Pasquier en septembre 1908. Mœurs des lapins. Où l'on entend parler de Jean-Paul Sénac. Réflexions du docteur Pasquier sur les rues de Paris. Réunion de famille. Orgueil d'un homme ruiné. Une opération de crédit. « Joseph, si notre père nous voyait. » Élevons-nous dans l'essentiel.   9

CHAPITRE II. Souvenir du désert de Bièvres. Lecture de Plutarque. Faut-il respirer le souffle des héros ? Une conception du Messie. Justin et Laurent au carrefour des routes. Les jeunes hommes et l'amour de la vie. Obéir d'abord. Le chef et le maître. Sur le besoin d'admirer. Le « Monsieur » et le « Patron ». Épidémie de choléra. Opinions divorces sur l'alliance franco-russe et sur les découvertes scientifiques.   25

CHAPITRE III. M. Olivier Chalgrin, professeur au Collège de France. Les savants sont distraits. Monologue familier sur le rationalisme au XIXe siècle. Intermède sur les vibrations musicales. Projets pour le rationalisme du XXe siècle. Une particularité du langage bengali.   35

CHAPITRE IV. Un beau sujet de thèse. Grandeur et décadence d'un économiste. Les choses utiles et les choses inutiles. Hélène ou la docilité conjugale.

Hommes d'affaires et savants. Le chien du financier. De la possession des dettes. Un pèlerinage de purification. Voix dans le parc abandonné. Laurent est nommé préparateur de M. Nicolas Rohner.   44

CHAPITRE V. Sénac veut faire des expériences. Méditations sur le paradis perdu. Premier entretien avec M. Rohner. Laurent s'efforce d'être impartial. Amours et tristesses de Testevel. Léger hommage à la solitude.   54

CHAPITRE VI. Rencontre de M. Mairesse-Miral. Une créature de Joseph Pasquier. Révélations sur une fortune saine et bien gérée. Catéchisme du parfait publicain. Méditation ambulante sur le génie financier. Misères de l'homme comblé. L'ange de la musique apaise Laurent. Cécile Pasquier collabore à des travaux scientifiques. La paix du cœur et la paix de l'esprit.   62

CHAPITRE VII. Confidences de Jean-Paul Sénac. Escarmouche avec Sternovitch. Sentiment de M. Chalgrin sur la contemplation dans les sciences. Que les intelligences admirables ne courent pas les rues. Richard Fauvet est le pur entre les purs. Laurent cherche son orient.   73

CHAPITRE VIII. La véritable sérénité n'est pas absence de passion. Nouveau portrait de M. Rohner. La canne et la poche, esquisse physiologique. Décision relative au port des décorations. Qu'on ne saurait être indulgent pour les siens. Critique du finalisme. Où l'on entrevoit le docteur Roux. Catherine Houdoire, amie de Laurent. Léon Schleiter et le démon de la politique. Calme de Laurent l'olympien.   83

CHAPITRE IX. Sénac ne croit à rien, pas même au néant. Une opinion sur le mépris des honneurs. L'ami des chats. Où l'animal devine les pensées des hommes. M. Chalgrin est inquiet. Un mémoire qui doit rester secret. Troublante coïncidence. La ma-

sure au fond de l'impasse. Éloge de la solitude.
Sénac fait des aveux. Sur la curiosité scientifique.   92

CHAPITRE X. Apostrophe à l'ami juif. Justin souhaite recevoir des nouvelles de la famille Pasquier.
Une forme élémentaire du tourment métaphysique.
Pour donner de la branche aux chevaux fatigués.
Laurent touche le mur. Peut-on s'asseoir sur deux
chaises ? Formation d'un comité de patronage.
Clartés sur une vieille animadversion. Il n'y a
pas de querelles d'idées. Prélude au congrès des
sciences biologiques. Deux hommes qui cherchent
la vérité.   107

CHAPITRE XI. Le devoir est de soulever des montagnes. Une alliance encyclopédique. Croquis du
petit Sauvignet. Circonstances atténuantes au
cas de Jean-Paul Sénac. Les Rohnerophiles et
les Chalgrinotropes. Passage d'un homme de
cœur. Des recherches qui peuvent bouleverser
la science. Critique de la publicité. Un écrit de
Van Helmont. Une haine qui date de loin. Laurent fait encore un serment. Un dîner chez le
patron. Que Justin n'est pas raisonnable.   122

CHAPITRE XII. Une très pure amitié. Nos maîtres
sont nos maîtres. Signatures et manifestes. Péché
contre l'esprit. Le sens critique fait homme. Le
« coefficient Rohner ». Un caractère. Une parole
de Charles Richet. Deux âmes face à face.   135

CHAPITRE XIII. L'indulgence et la charité. L'araignée dans son abîme. Propos sur les poisons.
Sénac fait ce qu'il fait. Prier est un verbe transitif. Résurrection de Testevel. Influence du
climat moral sur les recherches scientifiques. Tourments de M. Chalgrin. Colère du professeur Rohner. Une triste nouvelle !   145

CHAPITRE XIV. Maladie de Catherine Houdoire.
Le baiser au lépreux. Une expérience qui ne
marche pas. Beautés de la prophylaxie. Note sur

les virus filtrants. Le meilleur des régimes politiques. Dangers de l'administration. Petit incident à l'Académie des sciences. La querelle reprend flamme. La justice avant tout. Opinion
de M. Chalgrin sur la divinité du Christ. Justin
est de moins en moins raisonnable.   156

CHAPITRE XV. Mathématiques et communion.
Les souffrances de Catherine et le streptocoque
de Rohner. L'intelligence pure. Que la raison
ne saurait tout expliquer. Polémique savante.
Le courage de vieillir. Le microscope considéré
comme un refuge. Que Dieu est savant et responsable. Larseneur succède à Testevel. Le
venin de la vipère.   166

CHAPITRE XVI. Mort de Catherine Houdoire. La
sensibilité ne saurait corrompre la recherche
scientifique. Le chemin de la raison. Grandeur
et tristesse de la profession médicale. Une faveur
de l'oubli. La petite salle hypogée. Hymne au
fond d'une cave. La colère-Pasquier. Heures
d'amertume.   175

CHAPITRE XVII. Consolations tirées d'une lecture.
Travaux souterrains de M. Nicolas Rohner. Un
coup de maître. Le « délire des quinquas ». Une
proie rebelle et coriace. Reproches à Justin Weill.
Renseignements confidentiels. On ne choisit
pas ses amis. Joseph s'intéresse à Sénac. Épi-
logue d'une histoire de ruine. Chasse à la biche
en forêt. Commencement de l'individualisme.
M. Chalgrin souhaite la paix. Qu'un homme n'est
jamais seul.   185

CHAPITRE XVIII. Le congrès des sciences biologiques. La science cherche en gémissant. Faut-il
se défier aussi de la musique ? Une volonté d'oubli qui ne va pas sans grandeur. Inconvénients
de l'éloquence. Un monsieur qui ne cache pas
ses sentiments. Pieuse pensée pour Catherine.
Un dîner de deux cents couverts. La place d'hon-

neur. M. Rohner sait ce qu'il veut. Un festin de cannibale.

neur. M. Rohner sait ce qu'il veut. Un festin de cannibale.   200

CHAPITRE XIX. La marque de Jean-Paul Sénac. Au fond de l'impasse. Une solution cruelle et nécessaire. Réapparition de Solange Meesemacker. Invite à des complications incestueuses. Laurent ne déteste pas son père.   212

CHAPITRE XX. Élévation de M. Chalgrin. Devoirs d'une aristocratie véritable. Grandeur de l'âme purifiée. La seule morale possible. La galerie des bustes. M. Chalgrin tend l'autre joue. Joie, puis douleurs de Laurent. Une lettre de Jean-Paul Sénac.   222

CHAPITRE XXI. Appel au bord de l'abîme. Joseph Pasquier donne l'alarme. Un message de Jean-Paul. Expédition matinale. Effets de l'aconitine. Adieu de Mignon-Mignard. *De profundis*. La prison de chair vivante. Un jour nous deviendrons des maîtres. La maladie de Rohner. Un équilibre compromis. Le maître, le saint et le héros. Vitraux et livres d'images. Fondements de l'optimisme. Le quart d'heure d'un homme admirable. Silence au laboratoire. Retour du printemps.   231

DU MÊME AUTEUR

RÉCITS, ROMANS, VOYAGES, ESSAIS

VIE DES MARTYRS, 1914-1916.

CIVILISATION, 1914-1917.

LA POSSESSION DU MONDE.

ENTRETIENS DANS LE TUMULTE.

LES HOMMES ABANDONNÉS.

LE PRINCE JAFFAR.

LA PIERRE D'HOREB.

LETTRES AU PATAGON.

LE VOYAGE DE MOSCOU.

LA NUIT D'ORAGE.

LES SEPT DERNIÈRES PLAIES.

SCÈNES DE LA VIE FUTURE.

LES JUMEAUX DE VALLANGOUJARD.

GÉOGRAPHIE CORDIALE DE L'EUROPE.

QUERELLES DE FAMILLE.

FABLES DE MON JARDIN.

DÉFENSE DES LETTRES.

MÉMORIAL DE LA GUERRE BLANCHE.

POSITIONS FRANÇAISES.

LIEU D'ASILE.

SOUVENIRS DE LA VIE DU PARADIS

CONSULTATION AUX PAYS D'ISLAM.

TRIBULATIONS DE L'ESPÉRANCE.

LE BESTIAIRE ET L'HERBIER.

PAROLES DE MÉDECIN.

CHRONIQUE DES SAISONS AMÈRES.

SEMAILLES AU VENT.

LE VOYAGE DE PATRICE PÉRIOT.

CRI DES PROFONDEURS.

MANUEL DU PROTESTATAIRE.

LE JAPON ENTRE LA TRADITION ET L'AVENIR.

LES VOYAGEURS DE L'ESPÉRANCE.

LA TURQUIE NOUVELLE, PUISSANCE D'OCCIDENT.

REFUGES DE LA LECTURE.

L'ARCHANGE DE L'AVENTURE.

LES PLAISIRS ET LES JEUX.

PROBLÈMES DE L'HEURE.

PROBLÈMES DE CIVILISATION.

TRAITÉ DU DÉPART.

LES COMPAGNONS DE L'APOCALYPSE.

LE COMPLEXE DE THÉOPHILE.

NOUVELLES DU SOMBRE EMPIRE.

ISRAËL, CLEF DE L'ORIENT.

POSITIONS FRANÇAISES.

TRAVAIL, Ô MON SEUL REPOS.

VIE ET AVENTURES DE SALAVIN

I. CONFESSION DE MINUIT.

II. DEUX HOMMES.

III. JOURNAL DE SALAVIN.

IV. LE CLUB DES LYONNAIS.

V. TEL QU'EN LUI-MÊME...

CHRONIQUE DES PASQUIER

I. LE NOTAIRE DU HAVRE.

II. LE JARDIN DES BÊTES SAUVAGES.

III. VUE DE LA TERRE PROMISE.

IV. LA NUIT DE LA SAINT-JEAN.

V. LE DÉSERT DE BIÈVRES.

VI. LES MAÎTRES.

VII. CÉCILE PARMI NOUS.

VIII. LE COMBAT CONTRE LES OMBRES.

IX. SUZANNE ET LES JEUNES HOMMES.

X. LA PASSION DE JOSEPH PASQUIER.

LUMIÈRES SUR MA VIE

I. INVENTAIRE DE L'ABÎME.
II. BIOGRAPHIE DE MES FANTÔMES.
III. LE TEMPS DE LA RECHERCHE.
IV. LA PESÉE DES ÂMES.
V. LES ESPOIRS ET LES ÉPREUVES.

CRITIQUE

LES POÈTES ET LA POÉSIE.
PAUL CLAUDEL, *suivi de* PROPOS CRITIQUES.
REMARQUES SUR LES MÉMOIRES IMAGINAIRES.
LES CONFESSIONS SANS PÉNITENCE.

THÉÂTRE

LA LUMIÈRE.
LE COMBAT.
DANS L'OMBRE DES STATUES.
L'ŒUVRE DES ATHLÈTES.
LA JOURNÉE DES AVEUX.

POÉSIE

COMPAGNONS.
ÉLÉGIES.

COLLECTION FOLIO

Dernières parutions :

471. Guy de Maupassant   *Bel-Ami.*
472. Robert Margerit   *Mont-Dragon.*
473. Georges Duhamel   *Le Désert de Bièvres.*
474. Antoine Blondin   *Les enfants du bon Dieu.*
475. Montesquieu   *Lettres Persanes.*
476. Alfred de Musset   *La Confession d'un enfant du
                               siècle.*
477. Albert Camus   *Les justes.*
478. Maurice Genevoix   *Bestiaire enchanté.*
479. Henry James   *Les Bostoniennes.*
480. Jean Cocteau   *Thomas l'imposteur.*
481. L.-F. Céline   *Rigodon.*
482. Paul Léautaud   *Amours.*
483. Violette Leduc   *La folie en tête.*
484. P. Drieu la Rochelle   *L'homme à cheval.*
485. René Barjavel   *Le voyageur imprudent.*
486. Dostoïevski   *Les Frères Karamazov,* tome I.
487. Dostoïevski   *Les Frères Karamazov,* tome II.
488. Robert Musil   *L'Homme sans qualités,* tome I.
489. Robert Musil   *L'Homme sans qualités,* tome II.
490. Robert Musil   *L'Homme sans qualités,*
                               tome III.
491. Robert Musil   *L'Homme sans qualités.*
                               tome IV.
492. Bernard Pingaud   *L'amour triste.*
493. Jean Genet   *Journal du voleur.*
494. Roger Nimier   *Les épées.*

495. Georges Duhamel — *Confession de minuit.*
496. Goethe — *Les Souffrances du jeune Werther.*
497. Armand Salacrou — *La terre est ronde.*
498. Le Sage — *Histoire de Gil Blas de Santillane,* tome I.
499. Le Sage — *Histoire de Gil Blas de Santillane,* tome II.
500. Marcel Aymé — *Travelingue.*
501. Philippe Hériat — *La main tendue.*
502. Curzio Malaparte — *La peau.*
503. Rudyard Kipling — *L'homme qui voulut être roi.*
504. Guy de Maupassant — *Boule de suif, La maison Tellier,* suivi de *Madame Baptiste* et de *Le port.*
505. Roger Vailland — *La fête.*
506. Jean Dutourd — *Les taxis de la Marne.*
507. William Irish — *La sirène du Mississipi.*
508. Alberto Moravia — *La désobéissance.*
509. Vladimir Nabokov — *Pnine.*
510. Jean Giono — *L'oiseau bagué.*
511. Paul Nizan — *La conspiration.*
512. Marcel Aymé — *Le bœuf clandestin.*
513. Louis Bromfield — *La Colline aux Cyprès.*
514. Benjamin Constant — *Adolphe* suivi de *Le cahier rouge* et *Cécile.*
515. Stendhal — *Lucien Leuwen,* tome I.
516. Stendhal — *Lucien Leuwen,* tome II.
517. Jean Guéhenno — *Journal des années noires (1940-1944).*
518. Benoîte et Flora Groult — *Journal à quatre mains.*
519. Jules Vallès — *L'Enfant.*
520. Marcel Achard — *Jean de la Lune.*
521. Tchekhov — *La Cerisaie, Le Sauvage, Oncle Vannia* et neuf pièces en un acte.
522. Prévert /Pozner — *Hebdromadaires.*
523. Armand Salacrou — *Un homme comme les autres.*
524. Thérèse de Saint Phalle — *La mendigote.*

*Cet ouvrage
a été achevé d'imprimer
sur les presses de l'Imprimerie Bussière
à Saint-Amand (Cher), le 7 janvier 1974.
Dépôt légal : 1er trimestre 1974.
No d'édition : 18663.
Imprimé en France.
(1414)*